LE MARÉCHAL FOCH

𝕳eath's 𝕸odern 𝕷anguage 𝕾eries

SCÈNES ET RÉCITS

DE LA GRANDE GUERRE (1914–1918)

WITH EXERCISES, NOTES, AND VOCABULARY

BY

RÉGIS MICHAUD

PROFESSOR OF THE FRENCH LANGUAGE AND LITERATURE,
UNIVERSITY OF CALIFORNIA

20046

D. C. HEATH & CO., PUBLISHERS
BOSTON   NEW YORK   CHICAGO

TO
J. C. M.

A LA MÉMOIRE DES SOLDATS ALLIÉS
QUI SONT MORTS POUR CETTE NOBLE DEVISE:
LIBERTÉ, ÉGALITÉ, FRATERNITÉ

INTRODUCTION

To give in simple, vivid, and idiomatic French an account of the principal phases and aspects of the Great War has been the ambition of the author in writing this little book. He has not only heard and read most of the anecdotes which he relates, but he has lived three years with the French soldiers on the front, a soldier himself, and he has included in the book something of his own experience. He would be content if he should succeed in bringing out in his sketches and anecdotes, with the real spirit of France, some of the human pathos of the war.

The Civil War is still present to our mind in innumerable narrations. So the Great War will live forever in our memory, thanks to our present-day war stories. For two years, in particular, the history of this country and that of France have been so intimately lived and suffered together that, from now on, these stories will probably be read with the same common interest by students of both nations.

It is the pleasant duty of the author to thank for valuable criticisms, suggestions, or practical help Professor E. C. Hills of Indiana University, Professor Richard T. Holbrook of the University of California, Dr. Alexander Green of D. C. Heath & Company, and Associate Professor Robert of Smith College.

RÉGIS MICHAUD

UNIVERSITY OF CALIFORNIA

TABLE DES MATIÈRES
PREMIÈRE PARTIE

DEUXIÈME PARTIE

ÉPILOGUE

PREMIÈRE PARTIE

Septembre, 1914 – Octobre, 1915

PERSONNAGES

MADAME N . . ., Américaine, propriétaire d'un château sur la Marne.

HENRI, officier français, autrefois étudiant à Harvard et, avant la guerre, ingénieur dans le New-Jersey.

FRANÇOIS, Parisien et soldat français, ami d'Henri.

WILLIAM, artiste américain, ami d'Henri et son ancien camarade de Harvard. William est conducteur d'ambulance à Verdun, puis officier dans l'armée américaine.

JOHN, Américain, ami de William et aviateur dans l'Escadrille Franco-Américaine.

CHARLES, Américain et soldat dans la Légion Étrangère, puis dans l'armée américaine.

I. LA BATAILLE DE LA MARNE [1]

L'ordre du jour de Joffre — Le chant du départ

Henri à William.

Aux armées, le 6 septembre, 1914.

Mon cher William,

C'est par un matin de septembre comme celui-ci que l'on faisait les vendanges en Champagne.[2]

Le régiment est en formation de bataille dans la plaine. Le colonel passe. Il nous harangue. On va nous lire un ordre du jour important. Formez les faisceaux ! 5 Voici le lieutenant qui s'approche. Il est grave et presque recueilli. Écoutez bien, tous ! C'est du Généralissime :

Le Général Joffre [3] aux armées françaises.

« Au moment où s'engage une bataille dont dépend le salut du pays, il importe de rappeler à tous que le moment 10 n'est plus de regarder en arrière. Tous les efforts doivent être employés à attaquer et refouler l'ennemi. Une troupe qui ne peut plus avancer devra, coûte que coûte, garder le terrain conquis et se faire tuer sur place plutôt que de reculer. Dans les circonstances actuelles, aucune 15 défaillance ne peut être tolérée. »

La retraite est finie. Il faut vaincre ou mourir. Malgré la fatigue nous entonnons le « Chant du départ »,[4] d'un bout à l'autre de la colonne, au son du canon :

3

« La Victoire en chantant nous ouvre la carrière,
La liberté guide nos pas,
La République nous appelle,
Sachons vaincre ou sachons périr,
Un Français doit vivre pour elle,
Pour elle un Français doit mourir ! »

C'est bien l'ordre de Joffre tel que le chantaient déjà nos pères, les soldats de 1792.[1]

Nous allons nous battre.

Votre dévoué,
Henri.

II. LA BATAILLE DE LA MARNE (suite)

Henri est blessé

Henri à William.

Ambulance 4–62,[2] le 9 septembre, 1914.

Mon cher William,

C'est fait ! Je suis blessé. J'ai obéi de mon mieux à l'ordre de Joffre. Comment cela s'est-il passé ? Il me serait assez difficile de le dire.   Nous étions enfin arrivés au terme de cette retraite exténuante. L'ordre était d'avancer ou de se faire tuer sur place. L'armée française tout entière a obéi. Depuis trois semaines, nous reculions toujours plus loin vers le sud. Cela allait-il durer éternellement ? Rien n'est démoralisant comme une retraite.

Enfin, Joffre venait de parler. Cette fois, nous ne reculions plus. Le jour se levait, un beau jour de septembre. D'abord, les soixante-quinze [3] se mirent de la partie. Vacarme effroyable.

Nous soutenions une batterie et je vois encore le capitaine qui la commandait sur son observatoire, ses jumelles braquées sur l'ennemi. J'entends les ordres qu'il donnait à ses hommes.

D'où il était, il pouvait marquer les coups.

A califourchon sur la maîtresse branche d'un chêne, le capitaine criait ses ordres à sa batterie. Les habits gris avançaient. Il n'y avait pas de temps à perdre:

« Attention! Par pièce. Un coup à la minute.» [1]

« 3500 mètres. Feu! »

Et la danse commence.

« Par batterie. 3200 mètres. Feu! »

« 3000! 2500! 2000 mètres! » [2]

De la lisière du bois où nous sommes cachés, nous ne voyons rien, mais rien n'échappe à la jumelle du capitaine. Du haut de son observatoire, il aperçoit les Allemands qui s'avancent dans les blés:

« 1200 mètres! Obus explosifs.»

« Feu à volonté! Boum, boum-boum! »

La terre tremble; les coups se précipitent comme le tir d'une mitrailleuse.

« Ah! Ah! bravo! hurle le capitaine dans son arbre. En plein milieu d'une compagnie! »

Mais, malgré tout, ils approchent. Non, ils reculent.

« 1500 mètres! Fauchez double! 1800! 2000! 2500! »

« Ils se sauvent! 3000 mètres! »

Nous ne contenons plus notre joie. Cette fois, ce n'est plus nous, c'est l'ennemi qui bat en retraite.

Notre tour est venu d'avancer.

« Garde à vous! En tirailleurs! » Dociles à l'ordre de notre lieutenant, nous avançons par ligne de section, à vingt mètres l'une de l'autre, drapeau déployé. Un bond en avant, un autre bond. Les hommes tombent. Les shrapnels éclatent sur nos têtes. N'importe! En avant!

C'est là, en pleins champs, face à l'ennemi, que notre brave lieutenant est tombé. Téméraire jusqu'au bout, nous avions beau lui crier de mettre, lui aussi, genou à terre, il voulait donner l'exemple. Debout et courant d'un bout à l'autre de la section:

« Mais tirez donc! tirez donc! » nous lançait-il.

Rester vivant dans cet enfer eût été un vrai miracle. Les mitrailleuses balayaient le champ de bataille et, tout à coup, j'ai vu le lieutenant tomber.

Mais la griserie de la bataille vous emporte. Maintenant la charge sonne:

« En avant les enfants! A la baïonnette! » Et nous voilà partis.

Nous *les* avons vus enfin. C'étaient les premiers de la guerre, à l'exception des prisonniers. Toute une compagnie allemande débusquée s'enfuyait à travers champs. Pas loin, car nous étions déjà sur eux. C'est alors que j'ai reçu mon compte, et que j'ai perdu conscience.

Quand je suis revenu à moi, la nuit tombait, les villages brûlaient à l'horizon. J'étais seul. Des blessés râlaient. Je n'oublierai jamais cette voix qui pendant des heures appelait: « Maman! Maman! »

Combien de temps suis-je resté là? Mystère. Je dus m'endormir. La fraîcheur me réveilla comme le jour paraissait. J'étais à côté d'un blessé allemand, un gros homme roux qui se plaignait doucement. Il avait la figure couverte de sang. Je l'entends encore me supplier:

« Franzose! Bon Franzose! Camarade Franzose! » [1]

Enfin, les brancardiers arrivèrent et c'est d'eux que

UN CHÂTEAU DE FRANCE

j'appris la nouvelle de la victoire. Inquiétées par la manœuvre française sur leur aile droite, les armées allemandes battaient en retraite. Cela me suffisait. Je ne sentais plus ma blessure.

D'ailleurs, elle n'est pas grave et j'aurai sans doute 5 bientôt la joie de rejoindre mon régiment.

A bientôt une autre lettre.

Votre ami dévoué,
HENRI.

III. A L'AMBULANCE

Une héroïne américaine

Henri à William.

Château de L . . .-sur-Marne,
le 12 septembre, 1914.

Mon cher William,

Les journaux de votre pays qui savent tout et la télégraphie sans fil ont dû vous annoncer la victoire française. C'est fait. Ils fuient. Pour moi, me voici à l'ambulance 10 et, qui plus est, l'ambulance est américaine.

Le château où je me trouve est un vrai château français avec sa cour d'honneur, ses toits à poivrières[1] et sa chapelle gothique. Mais la châtelaine est américaine. Jugez de mon plaisir. Et, en outre, elle vous connaît, William. 15 Elle a vu vos tableaux au Salon, à Paris,[2] — à l'époque où il y avait des salons et des tableaux ! « Les amis de nos amis sont nos amis », comme dit le proverbe. Aussi l'on me gâte.

Si les femmes de votre pays sont toutes comme celle-ci, 20 elles devraient venir faire la guerre à notre place et elles

la feraient bien. Voulez-vous que je vous raconte la
défense du château de L... par une dame américaine, à
la tête d'une escouade de domestiques? C'est un épisode
de la bataille de la Marne qui devrait prendre sa place
5 dans l'histoire.

Voici ce qui est arrivé. L'histoire de Madame N...
est aussi émouvante que la mienne.

Le canon tonne. Les Allemands avançent. La châtelaine est seule au château. Monsieur N... a depuis
10 longtemps rejoint l'armée. Une estafette du Quartier
Général invite votre compatriote à partir sans retard.
Elle refuse. Il y a des blessés français au château et,
avant de partir, il faut mettre la maison en ordre. Aux
domestiques tremblants de peur la châtelaine rend le
15 courage et, quand les obus commencent à tomber dans
la cour du château, elle donne le signal du départ.

Il s'agit de quitter le château sans cependant trop
s'éloigner et d'ouvrir l'œil pour revenir, à la première
occasion favorable. Les bois sont profonds. On a
20 pris du chocolat et des conserves. Une nuit est vite
passée et il n'y a que la foi qui sauve.[1] En avant
donc!

Pendant ce temps, les troupes françaises et anglaises
battent en retraite. On se faufile dans la cohue des
25 réfugiés et des traînards. Peu à peu, les rangs s'éclaircissent et, bientôt, la petite troupe n'a plus que le vide
derrière elle, un vide suspect où l'ennemi peut paraître
d'une minute à l'autre.

Pour armes offensives et défensives Madame N... n'a
30 qu'un révolver automatique. C'est un excellent pistolet
de marque américaine. Elle a un appareil photographique
également américain. Il faut bien penser à tout.

Le pistolet automatique est tout de suite réquisitionné. Voilà en effet un peloton anglais égaré qui rejoint son régiment. Les Allemands approchent. Il faut les intimider pour gagner du temps. Madame va donc prendre la faction au tournant de la route et, si les Prussiens 5 arrivent, elle tirera son pistolet pour leur donner le change. Heureusement pour eux, les Allemands manquent au rendez-vous et la châtelaine se remet en route.

Cette fois, c'est à l'appareil photographique d'entrer en scène. Un peu plus loin, en effet, notre Jeanne d'Arc 10 américaine se trouve arrêtée par la fusillade, une vraie fusillade bien nourrie. Mais Madame N... est américaine et elle a avec elle un jeune Français qui n'a pas peur. L'idée lui vient de prendre un instantané de la bataille de la Marne. Aussitôt fait que dit. Pierre, le domestique, 15 suivra les soldats et il n'oubliera pas de les photographier au moment le plus pathétique de la charge. Ce qui fut fait. J'ai vu la photographie. Il s'y trouvait même un mort très authentique.

Enfin, le bruit du canon diminue. On passe la nuit 20 dans les bois et le lendemain, à l'aube, votre compatriote revient voir son château. Il est toujours là, avec quelques dégâts aux toits et aux murailles. Messieurs les Allemands[1] n'ont pas eu le temps de déménager. Ils ont jeté dans la cour ce qui se trouvait dans le salon. Ils ont 25 abandonné uniquement ce qu'ils n'ont pas eu le temps de charger sur les voitures régimentaires.

Dans le piano, ils ont versé les pots de confiture et, en guise de partitions, ils ont étalé des bouteilles de Champagne. Ils ont forcé le secrétaire de votre compatriote 30 et traîné le drapeau américain sur le plancher. Puis ils sont partis.

Combien faudra-t-il encore de châteaux franco-améri-
cains pillés, comme celui-là, pour décider l'Amérique à
prendre les armes ?

Pour moi, je me repose sur mes lauriers.   J'ai subi une
5 légère opération, mais ma blessure est en bonne voie de
guérison.   Vive la France et l'Amérique !

Votre dévoué,

HENRI.

IV. LA PRISE DE VASSINCOURT [1]

François à Henri.

En Lorraine, le 18 octobre, 1914.

Mon cher Henri,

Où ma lettre te trouvera-t-elle ? Quelles journées
nous venons de vivre ! La dernière vision que j'ai emportée de toi était tragique. Je t'ai vu tomber, mais
10 force était d'aller de l'avant et la griserie de la bataille
vous emporte.

Le plus rude nous attendait après ta blessure. C'est
alors que nous nous sommes lancés à la poursuite de l'ennemi. Je t'écris dans les ruines de Vassincourt que nous
15 avons dû prendre, perdre et reprendre plusieurs fois.

Le siège de Vassincourt restera célèbre. Nous l'avons
finalement enlevé, de haute lutte, à la Garde prussienne.

Imagine-toi un gros village perché à la cime d'un mont.
De là-haut, une vue superbe. Des champs jusqu'à l'hori-
20 zon. Tout ce qui n'est pas culture sur le plateau et dans
les vallées est forêt. C'est là que l'ennemi se cache et
c'est là-haut qu'il faut monter, sous son feu.

Mais nous avions avec nous les chasseurs, et nos
soixante-quinze faisaient, je te prie de le croire, un beau
tapage. Il s'agissait d'avancer. Comment? Je ne sais
trop. Par bonds successifs et qui nous coûtèrent cher,
nous étions arrivés à mi-côte du village, quand le gai et   5
alerte refrain des vitriers [1] nous arriva de la hauteur que
nous allions prendre d'assaut. Les chasseurs avaient
tourné la position. Il ne restait plus qu'à l'occuper, ce
que nous fîmes, légèrement humiliés de ce travail accom-
pli sans nous.   10

Cependant, tout n'était pas dit. Ces messieurs de la
Garde prussienne n'avaient pas complètement renoncé à
Vassincourt. C'était bientôt notre tour d'être copieusement arrosés par leurs marmites et l'affaire devenait
chaude. De notre barricade, à l'entrée du village, nous 15
pouvions les voir revenir. Oh! les malins! De tranchée
en tranchée, leurs vagues d'assaut émergeaient et faisaient,
Dieu merci, de merveilleuses cibles, mais plus il en tombait, plus il en montait. De ma vie je n'oublierai [2] leurs
rauques et lugubres trompettes.   20

L'ordre était de tenir, coûte que coûte, et nous avons
tenu. Vassincourt nous est resté. Je veux dire les ruines
de ce qui était Vassincourt.

Pauvre village! Plus une pierre l'une sur l'autre.
J'ai assisté à la chute du clocher de l'église, un vieux 25
saint de clocher qui n'avait certainement jamais pensé à
cela. Il était là-haut depuis des siècles, à cligner de
l'œil sur la plaine, gardant les moissons et essayant de
voir, à travers bois, si les Prussiens viendraient, comme
en 1870. Et ils sont venus. Le vieux clocher a vite sonné 30
son tocsin, puis un obus l'a frappé et il est tombé tout de
son haut,[3] comme le vieux colonel d'Alphonse Daudet [4]

sur son balcon des Champs-Élysées, le jour de l'entrée
des Prussiens à Paris.

Ce n'est pas bien à toi,[1] Henri, d'avoir manqué cette
fin de journée triomphale de la Marne.   Une véritable
apothéose.   Il venait de pleuvoir.   Le ciel était de la
couleur du drapeau du régiment.   On ne savait pas bien
si le bruit qu'on entendait était celui du canon ou du
tonnerre et si ce qui fuyait dans le ciel était les nuages
ou l'armée grise du Kronprinz en déroute.

La nuit tombait et nous étions là — ce qui restait du
régiment — à regarder[2] cette fin de jour de bataille.
A l'horizon, les villages brûlaient, et je n'oublierai jamais
un spectacle étrange, à la fois héroïque et burlesque.

Au son lointain du canon, à la lueur des paillers
en flamme, sur ce fond de ciel flamboyant, des soldats
dansaient en pleins champs, au son d'un piano mécanique
qu'ils avaient pris dans un cabaret voisin.   Le piano de
la Marne[3] devrait figurer au Musée de l'Armée,[4] et les
peintres de la guerre ne l'oublieront pas, je l'espère.

Adieu!   Tout va bien.   Notre section est citée à
l'ordre du jour de la division.[5]   Nous avons pris, outre de
nombreux prisonniers, un drapeau allemand, une belle
bannière de soie violette, avec un soleil d'argent au milieu.
On ne compte plus le butin.   Ces messieurs ont tout
jeté en s'en allant, pour courir plus vite.   Bon voyage
et sans au revoir!

Pour moi je n'ai pas une égratignure.   «Quitte pour la
peur.»[6]   Je suis cité pour la médaille militaire.[7]   Quand
te reverra-t-on, vieux frère?   En attendant, une rude
poignée de main.

                              Ton dévoué,
                                   FRANÇOIS.

V. LES AUTOBUS PARISIENS[1] A LA MARNE

Henri à William.

Château de L . . .-sur-Marne,
le 20 septembre, 1914.

Mon cher William,

Il paraît que ce sont les autobus parisiens qui ont gagné
la bataille de la Marne. C'est du moins ce que m'annonce
très sérieusement François, mon camarade, cet incor-
rigible Parisien.

Si ce ne sont pas les autobus, c'est certainement la 5
présence d'esprit du général Galliéni. Voici, en tout cas,
l'attestation de François:

« Oui, mon cher, crois-le si tu veux. Ce sont nos
vieux autobus parisiens, c'est Clichy-Odéon, Madeleine-
Bastille, Batignolles-Montparnasse,[2] qui ont gagné la 10
bataille de la Marne. Tu aurais dû les voir s'amener
en pleine nuit, ces braves autos, pleins de poilus cette
fois, jusque sur la ligne de feu.

« C'est Galliéni, paraît-il, qui a eu cette riche idée qui
avait échappé à von Kluck.[3] Il avait vu juste. Tant 15
de kilomètres, tant d'heures devant soi, tant de renforts
disponibles, tant d'hommes par auto et en route!

« Ce soir-là, ton père et le mien, comme tous les Parisiens
héroïques, ont dû user un peu plus leurs chaussures pour
rentrer chez eux.»   20

Voilà tout, et Galliéni a pu dire comme ce fameux
général romain:[4] « Je suis venu, je les ai vus et je les

ai battus.»   Les Allemands n'en revenaient pas de tous
ces poilus qui leur tombaient dessus, pour ainsi dire,
du haut du ciel et de ces autos qui refilaient aussitôt bon
train pour en chercher d'autres.   « Aux autobus parisiens
5 la Patrie reconnaissante! » [1]

La manœuvre concertée de Joffre et de nos grands
chefs, français et anglais, a pleinement réussi.   Menacé
d'enveloppement sur ses deux ailes, l'Allemand s'enfuit
et court encore.   Les journaux qu'on nous distribue sont
10 pleins d'espoir.

Bien à vous,

HENRI.

VI. LA VICTOIRE DE LA MARNE

Les ordres du jour

Henri à William.

Château de L . . . -sur-Marne,

le 1 octobre, 1914.

Mon cher William,

Toute la France se réjouit de sa victoire, mais nul commentaire sur les évènements mémorables qui viennent
de se passer ne vaut les simples ordres du jour de nos
grands chefs:

15   Le Général Joffre à la VIème armée.

Le 10 septembre, 1914.

« Camarades,

Le Général-en-chef vous a demandé, au nom de la
patrie, de faire plus que votre devoir: vous avez répondu
au delà même de ce qui paraissait possible.   Grâce à
vous, la victoire est venue couronner nos drapeaux.

Maintenant que vous en connaissez les glorieuses satis-
factions, vous ne la laisserez plus échapper.

« Quant à moi, si j'ai fait quelque bien, j'en ai été
récompensé par le plus grand honneur qui m'ait été
décerné dans une longue carrière: celui de commander des   5
hommes tels que vous.»

JOFFRE.

Le Général Franchet d'Esperey [1] à son armée, après
la bataille de Montmirail :

« Soldats,

Sur les mémorables champs de bataille de Montmirail,
de Vauchamps et de Champaubert,[2] qui, il y a un siècle, 10
furent témoins des victoires de nos ancêtres sur les Prussiens de Blücher,[3] notre vigoureuse offensive a triomphé
de la résistance des Allemands.   Poursuivi sur ses flancs,
son centre rompu, l'ennemi bat en retraite vers l'Est et le
Nord, par marches forcées.   15

« Les corps d'armée les plus redoutables de la vieille
Prusse, les contingents de Westphalie, du Hanovre, de
Brandebourg, se sont repliés en hâte devant vous.

« Ce premier succès n'est qu'un prélude.   L'ennemi
est ébranlé, mais il n'est pas battu d'une façon décisive. 20
Vous aurez encore à supporter de lourdes fatigues, à
faire de longues marches, à combattre de rudes batailles.
Que l'image de votre patrie, souillée par les Barbares,
reste toujours devant vos yeux.   Jamais il n'a été plus
nécessaire de tout lui sacrifier.   25

« En saluant les héros qui sont tombés dans le combat
des derniers jours, mes pensées se tournent vers les vainqueurs de la prochaine bataille.

« En avant, soldats, pour la France! »

Mais, de tous ces ordres du jour, le télégramme suivant du général Foch,[1] si court qu'il soit, n'est pas le moins héroïque. C'est Foch qui défend le centre de la ligne française au sud de la Marne. L'ennemi fait des efforts
5 surhumains. La chance semble tourner contre Foch. Pas un instant il ne perd courage et il envoie au Généralissime, le 9 septembre 1914, le télégramme suivant:

« Je suis enfoncé sur ma droite, je suis enfoncé sur ma gauche, je fonce au milieu.»

FOCH.

10   Avec des chefs et des soldats pareils on peut tout espérer.

Votre dévoué,
HENRI.

VII. UNE LETTRE D'AMÉRIQUE

Vive la France !

William à Henri.

Cambridge, Mass., le 15 octobre, 1914.

Mon cher Henri,

Laissez-moi vous dire comme au théâtre: « Bravo! et bis ! » ou, comme nous disons en Amérique pour rappeler nos artistes favoris: « Encore! Encore! » C'est magni-
15 fique et nous avons tous ici tressailli d'enthousiasme. La France fait l'admiration du monde. La Marne a fait oublier Sedan.[2] Vous nous avez donné l'exemple. Toute

notre jeunesse s'émeut. Notre vieux collège revit les glorieuses journées de son histoire.

Vous vous rappelez, Henri, notre grand hall de Harvard avec les inscriptions et les noms des étudiants tombés au champ d'honneur, pendant la Guerre Civile et la guerre 5 avec l'Espagne. Les jeunes gens d'aujourd'hui tiennent à faire honneur aux anciens.

Je suis de votre avis entièrement. La guerre actuelle est une lutte pour la liberté du monde. Je ne suis pas prophète, mais quelque chose me dit qu'un jour ou l'autre, 10 et qui ne saurait tarder à venir, votre guerre sera la nôtre. Nous aussi, il nous faudra nous battre pour la liberté. C'est dans notre tradition, et ce sera la troisième fois que l'Amérique prendra les armes contre les tyrans.

En attendant, le nombre des engagés volontaires aug- 15 mente tous les jours. Parmi ceux que vous avez connus à Cambridge, beaucoup partent dans la Croix-Rouge. Ils vont conduire des automobiles d'ambulance. Charles S... s'est engagé dans la Légion Étrangère et John D... dans l'aviation. 20

Pour moi, mon parti est pris et, dès que j'aurai pu mettre ordre à mes affaires, j'irai soigner vos blessés au front. En attendant, bravo! encore, et vive la France!

Votre dévoué,

WILLIAM.

VIII. HENRI EST DÉCORÉ

Une revue sur le front

Henri à François.

Paris, le 30 octobre, 1914.

Mon cher François,

Un peu de patience et j'arrive. Je suis du prochain départ. On se reverra bientôt. Et, François, une grande nouvelle. J'ai la croix et mon premier galon d'or. Tu trouveras ci-joint ma citation.

5 J'ai été décoré l'autre jour sur le front de bandière[1] de la brigade. Tu sais combien c'est impressionnant ces revues et cette remise de décorations. Quand on est simple spectateur dans la cérémonie, c'est déjà fort émouvant mais, quand on est acteur dans la pièce, cela
10 fait une autre impression. Le régiment est en tenue de campagne; le colonel fait sortir des rangs les nouveaux médaillés; la clique ouvre les bans; la musique joue; six mille baïonnettes étincellent; six mille paires d'yeux sont fixés sur vous.

15 Puis, le grand chef[2] s'approche, suivi de l'état-major. Il vous donne le coup d'épée sur l'épaule et l'accolade.[3] Les troupes défilent aux accents de Sambre-et-Meuse.[4] Voilà un bout de ruban jaune et vert[5] qui vous rend bien fier, en attendant l'autre, le ruban rouge[6] que nous am-
20 bitionnons tous.

Au revoir et à bientôt,

HENRI.

LES DRAPEAUX FRANÇAIS

IX. DANS LES TRANCHÉES

Le bombardement — Les torpilles

Henri à William.

> Aux armées, en Lorraine,
> le 15 novembre, 1914.

Mon cher William,

Voici une éternité que je n'ai eu de vos nouvelles.[1]
Et la guerre dure toujours. Qui nous eût dit cela quand
je vous écrivais cette lettre triomphale après la Marne ?
L'autre jour, j'ai rencontré un officier anglais qui n'avait
pas d'illusion à ce sujet. Kitchener [2] a dit: « Trois ans ! » [5]
La guerre durera trois ans et peut-être davantage. Nous
avons maintenant une devise qui confirme cette prédic-
tion: « Long, dur, sûr.» [3] Patience et nous les aurons !

Il ne s'agit plus maintenant de grandes batailles en
pleins champs, ni de charges de cavalerie. Nous avons [10]
commencé une nouvelle guerre et une nouvelle existence,
la guerre et la vie de tranchée.

De Nieuport [4] à Belfort,[5] de la Mer du Nord à la Suisse,
nous sommes là des millions d'hommes à monter la garde
au fond de nos trous. Mon régiment tient la tranchée [15]
depuis quatre jours dans un secteur jusqu'ici assez
paisible. Encore trois jours et ce sera la relève.

La section dont je fais partie, comme sous-lieutenant,
occupe un emplacement d'une centaine de mètres environ,[6]
en première ligne. Notre tranchée n'est pas mauvaise. [20]
Elle se compose d'un fossé creusé à hauteur d'homme,
avec un parapet où les tireurs peuvent s'appuyer. Ce
parapet est recouvert de sacs à terre et, entre les inter-

stices des sacs, on a ménagé des créneaux pour le guet et
pour le tir. Les guetteurs se relaient toutes les quatre
heures.

Ce guet n'est pas des plus agréables. On s'y fait facile-
5 ment tuer. C'est qu'en face, dans la tranchée boche,
il y a des créneaux et des guetteurs du même genre. Un
mouvement de tête, une ombre projetée, aussitôt un coup
de feu part et le guetteur s'affaisse.

L'autre soir, j'ai eu un de mes hommes descendu de
10 cette façon. Je venais de faire ma ronde et je revois
encore ce brave poilu à son créneau, immobile et l'œil
fixé devant lui. Je lui avais même glissé un mot d'amitié
en passant. Je n'avais pas fait un pas, pour continuer
ma ronde, qu'un coup de fusil partait et le pauvre guetteur
15 tombait, avec une balle dans la tête.

Pour remédier à ces inconvénients, on commence à nous
munir de périscopes qui permettent de voir sans être vus.
C'est une sorte d'appareil dressé verticalement contre
le parapet, avec un miroir à chacune de ses extrémités
20 et assez semblable à une chambre photographique. Grâce
au périscope, le soldat dans la tranchée, comme le capitaine du sous-marin, peut explorer les environs et relever
tout mouvement insolite ou suspect. Le périscope a
sauvé déjà bien des vies, ainsi que le casque d'acier, ou
25 « bourguignotte » [1] dont les poilus sont maintenant coiffés
au lieu du képi.

————————

Comment passe-t-on le temps dans la tranchée? Le
problème est simple autant que dangereux : durer dans
son trou, en se faisant tuer le plus tard possible. Tout
30 le monde malheureusement ne peut suivre ce sage
conseil. Sans doute, nous sommes, dans nos trous, à

DANS LA TRANCHÉE

l'abri des balles mais, si le fusil ni la mitrailleuse, dans les circonstances ordinaires, ne peuvent nous atteindre, il y a d'autres engins qui s'en chargent. Laissez-moi vous en énumérer quelques-uns.

Pour commencer par les plus petits, sinon les plus 5 inoffensifs, il y a les grenades à main que l'on s'envoie gentiment comme au base-ball américain. Si la tranchée ennemie est trop éloignée, on leur substitue avantageusement la grenade à fusil qui va plus loin et qui fait, je vous assure, un joli fracas. Ajoutons les crapouillots [1] qui 10 ressemblent fort bien en effet, tant ils sont trapus et sournois, à quelque gros crapaud au bord de son trou. Il y a encore les énormes bombes que lancent les mortiers de tranchée, dangereux voisins qui vous attirent souvent de jolies ripostes ennemies. 15

Les plus redoutables de ces engins sont, sans contredit, les torpilles aériennes. Cette diabolique invention a sur le moral de nos poilus l'effet le plus désastreux. La torpille est lente. Elle est tapageuse autant que lourde. Elle arrive au-dessus de vous en se dandinant et en ron- 20 ronnant, assez embarrassée pour choisir son point de chute. Voilà le moment critique.

Sera-ce à droite ? Sera-ce à gauche ? C'est là que le jeu commence. S'il n'était pas mortel, il ne manquerait pas d'intérêt. La stratégie du foot-ball n'est rien en com- 25 paraison.

Quand la torpille se montre, vous devriez voir les savants manèges [2] de nos poilus pour l'éviter. L'espace dans la tranchée est fort exigu. On ne peut se garer qu'en courant à droite ou à gauche et la torpille est capricieuse. 30 Parfois elle va choisir justement le côté où vous pensez l'éviter.

La voici. Attention! Tous les yeux sont fixés sur elle.
Vous avez une minute pour sauver votre vie. Du sang-
froid et surtout de l'ensemble dans les mouvements.[1]
« Torpille à droite! Torpille à gauche! » Les hommes,
5 avec un ensemble touchant,[2] se portent aussitôt vers la
direction indiquée. Mais c'est justement là que la torpille
s'avise cette fois de tomber, ou bien c'est le point préféré
d'une autre torpille envoyée après la première. Et alors,
tout n'est que fracas et fumée et il y a de pauvres poilus
10 qu'il faut emporter à l'ambulance. Voilà nos sports.

Et ce n'est pas tout, il y a les alertes, de nuit et de jour,
les patrouilles sous les fusées éclairantes, les fusillades et
les bombardements qu'une sentinelle trop impressionnable
déchaîne pour un coup de fusil. Mais cela est une autre
15 histoire . . . Au revoir, William. Quand venez-vous?

Votre dévoué,
HENRI.

X. LA MAISON DU PASSEUR [3]

François à Henri.

Dixmude,[4] le 30 novembre, 1914.

Mon cher Henri,

Oui, toujours sur l'Yser. C'est l'automne, la brume,
les petits jours et la garde au bord de ces eaux grises.
Ces Flandres ne sont pas gaies et voici novembre, la
Toussaint,[5] la fête des morts. Par surcroît, nous sommes
20 ici parmi les Bretons, des gars de Saint-Malo,[6] de Guingamp, de Douarnenez. Ce sont de braves gens, mais à
qui le génie de la race et les quarts en plein océan ont

appris à rêver tout haut et à prendre souvent leur rêve pour la réalité. A ce sujet voici un conte.

C'est un soir de Toussaint. Des corbeaux planent sur l'inondation; des brumes flottent. Du gris dans le ciel, du gris dans l'eau. Là-dessus le canon et des lueurs de 5 fusées. Il y a là une dizaine de poilus occupés à se sécher à un feu de tourbe. La garde sera dure cette nuit. Voilà la bruine qui commence à nous glacer les épaules. Bientôt on n'y voit plus à trois pas. Justement le lieutenant passe: « Attention, les enfants ! Ouvrons l'œil ! *Ils* 10 préparent quelque chose en face.»

Cela se pourrait bien, à en juger par la canonnade et les fusées qui giclent dans l'air. Cela tombe bien ! Les Boches pensent sans doute qu'à pareille nuit il faut une illumination. 15

Les heures sonnent au beffroi de Dixmude et la canonnade leur répond. Sera-ce pour le petit jour, l'attaque ? En attendant, on se chauffe du mieux que l'on peut et, pour tromper l'attente, on raconte des histoires.

Justement il y a des Bretons parmi nous et c'est à leur 20 tour d'en conter une. Voici l'histoire que nous narra Jean Kerdic de Saint-Malo, ce soir-là. C'est moi qui ajouterai l'épilogue:

« Que Sainte Anne d'Auray [1] me pardonne, les gars, si je ne vous dis pas la vérité vraie.[2] Je le dis tout comme 25 je l'ai vu, pas plus tard qu'hier, cette avant-veille de Toussaint, 1914, où l'on sonne pour les trépassés à tous les clochers de Bretagne, depuis Douarnenez jusqu'à Roscoff.[3]

« C'était donc mon tour de faction et voilà le gabier 30 Maheut, un pays, qui vient me passer la consigne: « A toi, Janic, qu'il me dit,[4] tu vas prendre la faction au bord

du canal de l'Yser, près la Maison du Passeur.» [1] — Vous
la connaissez, les gars, cette bicoque du passeur. Il y
a autour plus de sang que d'eau, qu'on dit, et si le passeur
est parti, la maison est toujours là, basse sur l'eau et noire
5 dans la nuit et qui fait peur d'être si vide, avec de l'ombre
dans ses hublots.

« Que la bonne dame d'Auray me pardonne, mais,
moi Janic, j'ai moins peur de la mer que de la terre dans
la brume. Un quart de nuit sur la « Marie-Louise »,[2]
10 par le gros temps, m'irait mieux qu'une faction de terrien près de cette maison sournoise. Au moins, sur
une dunette de bateau, on est seul, on est haut et personne pour vous vouloir du mal, à droite ou à gauche.
Mais la Maison du Passeur, c'est traître et, entre vous et
15 le mauvais frère d'en face, qu'est-ce qu'il y a ? L'Yser
qui est à peine un fleuve !

« Donc je prends la faction à la nuit, juste comme le
bourdon [3] de Dixmude sonne dix heures. Ce son de cloche
me ravigote et je me mets à regarder de tous mes yeux [4]
20 dans la nuit.

« Vous savez, nous autres nous voyons dans le noir des
choses qui vous passent,[5] parce que nous sommes des
gens de mer et parce que nous sommes Bretons. Nous
y voyons loin, trop loin peut-être et déjà le Parisien, en
25 face de moi, rit de mon conte. Tant pis ou tant mieux !
Ce soir-là il y avait accalmie sur la ligne. Le canon
ronronnait ; au loin les fusées dansaient dans la brume,
comme des feux follets sur nos landes.

« Onze heures qui sonnent ! [6] Allons, encore deux
30 heures de quart. Tiens, qu'est-ce qui remue dans le
brouillard ? Le ciel, la mer et l'eau ont beau [7] être gris,
il y a des nuances [8] auxquelles un œil de mousse ne se

trompe point et, des fois, à une ombre sur l'eau, on devine que quelque chose bouge.

« Eh bien! oui, j'ai vu quelque chose remuer sur l'Yser,
l'autre soir, en face de la Maison du Passeur, et le Parisien
a beau faire l'entendu,[1] je le soutiendrais même devant 5
le recteur de ma paroisse.

« D'abord ç'a été un remous, comme quand une barque
pousse au large. Cela faisait de l'ombre sur de l'ombre [2]
et je ne m'y trompai point. C'était comme un chaland
qui démarrerait de notre côté pour filer sur l'autre rive. 10

« Et même qu'en écoutant bien,[3] j'entendais le clapotis.
Alors j'ai retenu mon souffle et je me suis blotti dans l'angle
de la maison. Est-ce que j'avais la berlue? Mon ami
Janic, que je me dis,[4] tu as dû avaler du brouillard des
Flandres, ce soir! Mais voilà que le beffroi de Dixmude 15
sonne ses douze coups et alors, les gars, par Sainte Anne!
— toi, le Parisien, ris si tu veux — alors j'ai entendu des
voix. Oh! cela ne criait pas fort, comme un courlis sur
la lande ou une hulotte dans un vieux mur, mais j'ai
entendu des voix. Quelque chose, de l'autre côté de l'eau, 20
appelait sûrement le passeur. Et voilà le clapotis de tout
à l'heure qui recommence et l'ombre, de ce côté de l'eau,
qui se remet à bouger. Sûrement, cette fois, la barque
démarre et prend le large. Puis plus rien, malgré que
je fouille le noir de tous mes yeux. 25

« Eh bien! oui, Parisien, j'avais peut-être la berlue
quand le bateau a démarré, mais, foi de Breton! je ne
l'avais plus, une minute après, quand je l'ai vu revenir.
A force de fouiller l'ombre, mes yeux de gabier ne se trom-
paient point cette fois. Il y avait une foule sur l'autre 30
bord, des ombres, des centaines et des milliers d'ombres
qui se pressaient et qui appelaient le passeur. Tu diras,

Parisien, que c'était le vent ou la fusillade, mais moi je
sais bien que ce n'était ni la fusillade ni le vent...

« Encore l'ombre bouge, encore les avirons font leur
bruit et voilà la barque qui s'en va et qui revient. Et
5 plus il en passait des ombres, plus il en venait et, une fois,
j'ai bien vu le passeur qui maniait sa rame à la proue de
son bateau. Alors j'ai eu peur, je me suis signé et
j'ai commencé à dire mon chapelet pour les âmes du
purgatoire et pour les pauvres gars qui sont tombés de
10 l'autre côté de l'eau et que le passeur était peut-être
allé chercher...

« Mais c'est égal, ajouta Kerdic, que Maheut mon pays
m'envoie, s'il veut, me battre avec les Boches, plutôt
que de me faire monter la garde près de la Maison du
15 Passeur.»

Ainsi parla Kerdic. Eh bien! mon cher, je ne suis pas
superstitieux, mais je n'avais plus envie de rire. Moi
aussi, cette maison et ce passeur mystérieux m'intri-
guaient depuis quelque temps. Mais bah! j'allais jeter
20 de la tourbe dans le feu et crâner d'un bon mot [1] aux
dépens de ce Janic. Tout à coup, un cri dans la nuit.
Qu'y a-t-il? nous nous précipitons! C'est un autre
Breton qui remonte, lui aussi, de la Maison du Passeur:
« Alerte! les Boches! »

25 Ce n'était pas les âmes du purgatoire à Kerdic,[2] cette
fois, qui avaient traversé l'Yser, mais nous avions, bel et
bien,[3] sur les bras une sérieuse attaque. L'ennemi,
favorisé par l'ombre, venait de traverser l'Yser, et ce que
Kerdic avait pris la veille pour des âmes, qui sait si ce
30 n'était pas des patrouilles allemandes qui préparaient le
coup d'aujourd'hui ?

Mais allez donc [4] purger de revenants et de légendes

une brave cervelle bretonne et faire oublier aux gars de
Saint-Malo ou de Quimper,[1] en faction au bord de l'Yser,
près de la Maison du Passeur, par une veillée de Toussaint,
l'histoire de Saint-Christophe[2] peinte dans leur église.
Laisse-moi ajouter que Jean Kerdic a été tué au cours 5
de l'attaque et Dixmude l'a échappée belle.

Ton ami,

FRANÇOIS.

XI. AU CANTONNEMENT

Combats aériens — Un village héroïque — Petits Français

Henri à William.

En Lorraine, le 2 décembre, 1914.

Mon cher William,

Vous voulez encore une lettre de moi et vous me dites
que, comme les précédentes, elle aura l'honneur de l'impression dans un de vos journaux américains. Comment
résister ?   10

Vous voyez donc que, « depuis la dernière », comme
disent les poilus, les torpilles qui vous ont fait si peur,
m'ont épargné. Cette fois je vous écris du cantonnement,
dans une sécurité et un calme relatifs. N'étaient[3] les
exercices et les corvées, la vie au cantonnement ne serait 15
pas trop intolérable. Ce n'est pas tout à fait le confort
de l'hôtel Astoria, mais on ne peut pas tout avoir.

Nous habitons, pour le présent, un petit village à sept
ou huit kilomètres des lignes. Ce village n'a pas été
trop endommagé par l'artillerie. Il a même conservé 20
la majorité de ses toits et c'est un vrai luxe. Nos poilus

sont au chaud dans des greniers à foin. Ils nous pardon-
neraient presque la guerre, n'était le réveil à cinq heures
tous les matins et les travaux de terrassement derrière
les lignes, sous le feu éventuel de l'ennemi.

5   Quand c'est fini, on revient au village. On échange ses
impressions entre camarades au mess. Ou bien on se
chauffe au coin de la cheminée, chez les braves gens qui
sont nos hôtes.

Naturellement, même au cantonnement, les distrac-
10 tions ne manquent pas. Il y a, par exemple, la visite
quotidienne des taubes, à heure fixe. A l'aube, à midi et
au crépuscule, quand la cloche du village sonne l'angélus,[1]
les avions ennemis viennent faire leur ronde au-dessus de
nos lignes. D'habitude, cela se borne à une canonnade
15 réciproque que l'on observe à la jumelle. Par un beau
coucher de soleil, ou un clair matin, c'est fort poétique,
ce minuscule oiseau, là-haut, tout là-haut, et ces flocons
de fumée blanche ou grise qui s'épanouissent autour de
lui. Une chasse comme une autre,[2] après tout.

20   Parfois, c'est plus émouvant. Un téméraire passe
les lignes malgré le barrage, et alors gare! Le voici, le
clairon l'annonce. Alerte! Mais les poilus en ont vu
bien d'autres et ils sont tous dans la rue, le nez en l'air.
Au début de la guerre, on tirait des feux de salve aux
25 oiseaux boches. Aujourd'hui, on se contente de les regarder, toujours au risque d'un accident, mais il faut
bien se distraire.

D'ailleurs l'alerte finit rarement en catastrophe. Le
taube, là-haut, fait son métier sur nos lignes comme
30 nous faisons le nôtre sur les siennes. Il observe, il photographie; parfois, pour effrayer, il lâche une bombe, fait
un demi-tour et puis s'en va.

Cela c'est le petit jeu.[1] Mais parfois le Boche se fâche et il nous notifie sa mauvaise humeur avec force bruit et fumée. Les marmites pleuvent sur le village. Alors on fait le mort et on achève son dîner à la cave. Personne n'y perd un coup de dent et c'est fort romantique.

Si nous avions besoin de courage, les braves gens qui nous entourent nous en donneraient. Beaucoup sont restés au village, des vieux, des femmes et même bon nombre d'enfants. On se fait à tout et la vie campagnarde continue son train, tant bien que mal. Nos Français n'abandonnent leur foyer qu'à la dernière extrémité. Il y a les bêtes, les champs, la vieille maison à garder. Quand l'ennemi arrive, on fait semblant de s'éloigner, la mort dans l'âme. A peine a-t-il tourné les talons que[2] l'on revient.

Vous devriez voir nos enfants, garçons et filles. Oh! les braves petits! On raconte l'histoire des écoliers de Reims[3] qui, en plein bombardement, continuaient d'aller à l'école dans les caves de la ville. Nos petits Lorrains, ici, ne sont pas moins héroïques et ils le sont à la française, crânement et gentiment. Vous devriez les voir, le bonnet de police sur l'oreille, comme de vrais petits soldats. Fillettes et garçons sont très fiers d'être à la guerre et d'entendre le canon de près. Ils jouent au soldat naturellement et, pour compléter l'illusion, ils portent en bandoulière un mignon masque contre les gaz, que l'autorité militaire leur a fait distribuer.

Le sang-froid et l'audace de ces petits Français sont étonnants. L'autre jour, j'entre dans une épicerie. J'aperçois un groupe de mioches à califourchon sur le comptoir et absorbés dans une besogne que j'eus d'abord peine à m'expliquer. L'un d'eux frappait à coups re-

doublés sur un objet de sinistre apparence. Tout autour se trouvaient des poilus sympathiques et goguenards. Je m'approche et à quoi pensez-vous, William, que jouaient ces petits Français ? A la guerre naturellement et à
5 déboucher des obus trouvés dans les champs. C'était jeudi, jour de vacance, et il fallait bien s'amuser. J'eus grand' peine à leur persuader de trouver des jeux plus inoffensifs.

Cordialement à vous,
HENRI.

XII.   L'ATTAQUE

« Combien êtes-vous ? » — « Présentez les armes ! »

François à Henri.

En Artois, le 15 mai, 1915.

Mon cher Henri,

Oui, toujours vivant, mais jusqu'à quand ? Finis la
10 belle vie de la tranchée, le feu d'artifice des fusées, la danse des torpilles, le tennis à la grenade et autres sports du même genre. Finis les délices du cantonnement, les longues pipes de la veillée, les doux rêves dans la paille et l'aimable compagnie des souris et autres bêtes amies de
15 l'homme qui vous passaient si aimablement sur le corps, chaque nuit.

Cette fois, nous sommes en pleine offensive, mais ce n'est plus comme à la Marne. A la Marne et sur l'Yser, c'était la bataille comme dans les livres, avec les musiques
20 et le drapeau. Et puis, au moment de l'assaut, on se trouvait de plein-pied, au rez-de-chaussée pour ainsi dire. Il n'y avait qu'à avancer tout droit devant soi. On

ignorait ce petit saut émouvant qu'il faut faire par-dessus
le parapet et qui coûte toujours au plus brave.

Eh bien! j'y suis allé par-dessus le parapet [1] et je n'en
suis pas mort, puisque je suis encore dans la tranchée,
en attendant un nouvel ordre d'attaquer. Laisse-moi te   5
raconter mon histoire.

Donc nous étions là, après les préparatifs que tu sais,
attendant le coup de sifflet pour bondir en avant. Après
des mois d'immobilité, l'ordre était venu de se donner
de l'air et de voir en face ce qui se passait. Comme   10
objectif, une rangée de collines et, de l'autre côté, les
Boches dans des positions formidables.

Mais tout, plutôt que cette attente, que ces mines
traîtresses, avec toujours la menace de sauter, sans avertissement préalable, et d'être ensevelis vivants ou à   15
peu près. Aussi je te prie de croire que la nouvelle de
l'attaque n'effraya personne. Il y avait longtemps que
nous mourions d'envie de voir de l'autre côté de la colline.

Cependant la partie était hasardeuse. Il s'agissait
de surprendre l'ennemi derrière ses fils de fer barbelés,   20
ses chevaux-de-frise, ses nids de mitrailleuses. Et nous
sommes partis quand même, à l'heure mystérieuse des
attaques que l'on appelle l'heure H . . . Tout s'est passé
comme à la manœuvre.

Nos avions n'avaient pas perdu leur temps. Ils avaient   25
photographié et repéré en détail la position ennemie. A
l'heure dite, notre artillerie ouvrit le feu. Cela a bien
duré douze heures, un vrai cyclone de fer et de feu. Et
l'adversaire répondait.

Puis, tout à coup, et comme par enchantement, la   30
canonnade s'arrête. «Attention! Baïonnette au canon![2]» Le front d'attaque a été mesuré à l'avance

pour chaque bataillon, chaque compagnie, chaque section. Nous savons ce qu'il y a devant nous : tel nid de
mitrailleuses, tel fortin à enlever. L'essentiel est de
marcher avec l'artillerie et le feu de barrage qui va
5 s'allonger à mesure que nous avancerons.

Voici le moment. Un coup de sifflet, un coup de rein.
Des escaliers ont été creusés dans les parois de la
tranchée. Des passages ont été ménagés dans le réseau
de fils de fer. En avant ! D'un bond, nous sommes
10 à découvert.

L'ennemi nous a vus. Il nous bombarde. Les marmites pleuvent dru. On va tout droit devant soi. A
droite et à gauche, des camarades tombent. En avant !
Combien serons-nous en arrivant là-haut ? Le plus dur
15 nous attend. Au sommet de la colline, la crête est tenue
par l'ennemi. Le sol est couvert de réseaux invisibles
de fil de fer. En qualité de caporal, c'est à moi que revient
l'honneur de manier la cisaille et je m'escrime, pendant que
les camarades, aplatis contre le sol, servent aux Boches
20 des grenades.

Que je sois sorti de là, c'est miracle. Mais c'est fini.
La résistance ennemie faiblit :

— Rendez-vous !

— Combien êtes-vous pour nous prendre ?

25 — Un sergent, un caporal et six hommes et ça suffit !

Et voilà des mains qui se lèvent,[1] des têtes à calot gris [2]
qui émergent par-dessus la crête. On coupe les courroies
des équipements, les bretelles, les lacets des chaussures,
tout ce qui peut aider à courir et les prisonniers filent à
30 l'arrière sous escorte. La tranchée est à nous, mais tout
n'est pas dit.

En avant toujours ! Cette fois le feu de barrage ennemi

se déclanche. Il y a une deuxième crête à atteindre, avec une ferme au sommet. On ira. Mais ils se sont bien défendus là-dedans.

Tout semblait fini, quand une mitrailleuse nous prend sous son feu, presque à bout-portant.

Nous les avions cependant copieusement arrosés de grenades et on avait déjà entendu crier: « Camarades! » Qui donc tenait là-dedans ?

A ce moment-là, mon cher Henri, il m'a été donné de voir la guerre [1] dans ce qu'elle a de plus tragique et de plus beau. Donc, la mitrailleuse nous tenait en arrêt et toute la ligne flottait autour de nous, à cause de la mitrailleuse. Il devait y avoir dans ce trou quelqu'un de décidé [2] à vendre chèrement sa vie.

Mais que faire contre les grenades ? On demande des volontaires pour en finir.[3] Les volontaires partent et nous nous terrons. Une, deux explosions. Un silence grand comme un siècle. Les grenadiers ne reviennent pas. Mais si, les voilà et ils ne sont pas seuls. Il y a un brancard que l'on apporte et deux prisonniers, un capitaine et un commandant allemands désarmés. Le capitaine tient la main du blessé, laquelle pend [4] de la civière.

« Garde à vous! Présentez les armes! »

Le blessé, c'est le colonel du régiment saxon qui a défendu, en personne, le fortin pour protéger la retraite de sa troupe. Nous rendons les honneurs et on l'emmène. Le colonel saxon est mort sur la route de l'ambulance.

« Triste guerre, messieurs! » comme disait le commandant allemand. Oui, mais à qui la faute ?

Enfin, les objectifs sont atteints. L'attaque a été coûteuse, mais elle a pleinement réussi. Et maintenant je

me repose, en attendant mieux. Je ne l'ai pas volé,
n'est-ce pas? Je suis proposé pour la croix de guerre.
Cela vaut mieux que la croix de bois[1] à laquelle je suis
candidat, sans succès, depuis le début de la campagne.

5   Au revoir, Henri. Écris-moi bientôt.

Bien à toi,

FRANÇOIS.

XIII. WILLIAM AMBULANCIER

William à Henri.

New-York, le 1 juin, 1915.

Mon cher Henri,

Mon parti est pris. Je m'embarque sur le « Caronia »
de la . . . Line, à destination de Liverpool.[2] Il y a bien les
sous-marins et l'on parle de paquebots coulés par eux,
depuis le « Lusitania », mais « à la guerre comme à la
10 guerre »,[3] ainsi que vous dites.

Nous sommes vingt, la plupart de Harvard et d'autres
universités, qui partons. Nous allons constituer une
formation sanitaire. En ma qualité de chauffeur expert,
j'aurai sans doute à conduire une automobile d'ambu-
15 lance.

Tout ce qu'on voudra, pourvu que j'arrive à temps pour
prendre part à cette grande offensive que vos lettres me
donnent à prévoir. A bientôt donc. Sitôt que j'arriverai
en Angleterre, je vous le ferai savoir.

Bien à vous,

WILLIAM.

XIV. FRANÇAIS ET ALLEMANDS

**La cigarette — Le prisonnier — Le fossoyeur —
La photographie**

Henri à William.

En Lorraine, le 3 juillet, 1915.

Mon cher William,

Devinez le métier qui m'a été assigné ces derniers
temps ? Je garde les prisonniers comme un vrai gendarme. Ils ne sont d'ailleurs pas difficiles et ils au-
raient bien tort de l'être car, vraiment, nous les
gâtons.   5

Malgré sa furie française, notre poilu, qui est un lion
dans la bataille, est sans rancune envers l'ennemi vaincu.
Notre soldat est si humain. Les traits pour le prouver
sont innombrables. Tel ce poilu que je surprends l'autre
jour à donner [1] du tabac à un Boche. Interpellé par moi 10
sur la portée patriotique de son acte, le poilu en question
me fit cette réponse historique:

« Que voulez-vous, mon lieutenant ? Je lui ai balancé,
l'autre jour, tant d'autres choses sur la figure. Cela vaut
bien un paquet de tabac. Il faut bien être poli au moins 15
une fois dans sa vie, et, lui, m'a promis de ne pas recommencer. N'est-ce pas, Fritz ? »

Sur quoi Fritz sourit et je passe. Ils sont tous comme
celui-là. Encore une anecdote.

C'était au cours d'une récente attaque. La partie 20
était gagnée. Les prisonniers passaient à la file. Il
y en avait qui faisaient peine à voir. Il ne leur restait
évidemment plus qu'un souffle de vie.

Parmi eux j'en remarquai un avec un bandage ensanglanté autour de la tête. Il était pâle, avec une barbe
blonde. C'était un Bavarois presque à l'agonie. Avec
le peu de force qui lui restait, je lui vis faire un geste vague,
5 comme un homme qui veut rouler une cigarette. Mais
je n'étais pas le seul à regarder et à avoir compris. Un
poilu qui était là avait deviné, lui aussi, le vœu suprême du
mourant. Sur quoi, le poilu s'approche, roule une cigarette, la présente au Bavarois mourant en disant: « Tiens,
10 mon vieux, c'est probablement la dernière.»

Le blessé sourit. De ses doigts défaillants, il porte
la cigarette à ses lèvres et on l'emmène.

Mais toutes les anecdotes ne sont pas tragiques. Il
en est de plus gaies, comme celle de ces poilus à qui leur
15 capitaine avait promis vingt francs, s'ils lui ramenaient
un prisonnier. C'était un secteur agité et il fallait se
renseigner sur les gens d'en face. Notre capitaine n'avait
pas le sens des affaires, mais nos poilus l'avaient pour lui.
Ils partent donc en patrouille. On entend des coups de
20 feu et c'est fait. On les voit revenir dans l'ombre avec
un superbe gaillard.

Le capitaine se frotte les mains. Il tient son homme et
il tire déjà de sa bourse le petit billet bleu de vingt francs.
Halte là! Le chef de la patrouille s'approche de son
25 capitaine. Il se met au garde-à-vous et, d'une voix ferme
autant que respectueuse: « Mon capitaine, c'est cinquante
francs! »

Le capitaine se récrie et va peut-être se fâcher. Mais
un sourire éclaire la face de ses braves:

30 « Vous nous avez bien dit d'amener un prisonnier,
mais vous n'avez pas spécifié le grade. Alors, nous avons
voulu bien faire les choses. Si un prisonnier ordinaire

vaut vingt francs, celui-ci en vaut bien cinquante. Regardez donc sa casquette.»

Le capitaine regarde et n'en croit pas ses yeux. Le prisonnier en vaut en effet la peine. Ce n'était rien de moins qu'un major allemand surpris en visite dans sa tranchée. Inutile de vous dire que le capitaine ne marchanda plus. Au lieu de cinquante francs, il en aurait bien donné cent. Pense donc à la surprise du quartier général. Nos poilus n'ont pas froid aux yeux[1] et ils ont toujours la répartie.

Une nuit il y a corvée d'enfouissement au « pays de personne ». La journée a été rude. Des morts allemands nombreux sont restés devant le parapet. Il faut les enterrer. Il y a parmi les fossoyeurs un poilu qui a son opinion sur l'adversaire. Comme les camarades, il s'est acquitté de sa funèbre besogne pendant des heures, sous les fusées éclairantes de l'ennemi. Maintenant c'est fini. Le poilu se repose dans la tranchée et il échange ses impressions avec ses amis. Tout s'est bien passé. Les morts ont été très sages. Et notre poilu de conclure[2] philosophiquement: « Il y a bien un Boche qui m'a dit qu'il n'était pas mort. Mais je l'ai enterré tout de même. Ils sont si menteurs! »

Voici encore une histoire. C'est le soir d'une bataille. Blessés français et allemands gisent pêle-mêle sur le sol. A quelques pas l'un de l'autre, un Français et un Allemand sont étendus. L'homme qui meurt se raccroche à tout ce qu'il y a de sympathie humaine autour de lui. La bonté ne meurt qu'après la haine.

Or le Français, avant de mourir, fait un geste qui alarme l'Allemand. Il glisse la main dans sa poche, en fixant sur son adversaire un regard étrange. L'Allemand a peur.

Le Français cherche peut-être une arme pour l'achever.
L'Allemand prévient le Français et il le tue d'un coup de
révolver.

Puis un doute affreux lui vient. Ce regard et ce geste
5 du Français mourant étaient pleins de mystère. S'il
s'était trompé ? L'Allemand sent un vague remords. Il
veut en avoir le cœur net.[1] Lentement, péniblement, il
s'approche, il soulève le corps du Français. Il tire la
main maintenant rigide et attachée à un objet qu'elle
10 presse. Et que découvre-t-il ? Une photographie, une
pauvre photographie où sourient une femme et un enfant.
L'Allemand s'était trompé. Il ne connaissait pas les
Français et il l'a expié. Il est mort littéralement de
remords à l'ambulance.

Votre dévoué,

HENRI.

XV. FRANÇAIS ET ALLEMANDS (suite)

Un collectionneur d'obus — Fusée de cuivre et fusée d'aluminium

Henri à William.

En Lorraine, le 28 août, 1915

Mon cher William,

15 Alors, mes anecdotes vous intéressent ? Oui, comme
vous le dites, cette guerre a au moins un bon côté. Elle
apprend à mieux connaître les hommes. Oui, je crois
qu'en temps ordinaire il est assez difficile de bien connaître
le Français. On le croit expansif et tout en paroles,[2]
20 mais l'on se trompe. Il n'est pas hypocrite, mais il est

modeste autant que fier. Il se déguise volontiers au
regard des autres. Et puis, il est poli et il n'aime pas à
ennuyer. Il veut faire bonne figure à tout le monde. De
là sa gaîté et son invincible optimisme. Un exemple.

Un jour, je pars en permission. Le train était bondé. 5
Le poilu à la guerre s'arroge tous les droits. Pas de place
en première classe où les officiers voyagent. Les premières étaient occupées par les sous-officiers: « Complet,
mon lieutenant! »

Je passe aux secondes. Les secondes étaient occupées 10
par les caporaux et les premiers soldats: « Complet, mon
lieutenant! » Je passe en troisième. En troisième, il y
avait toute l'armée française et une place vacante pour
moi dans un coin. Je la prends.

A côté de moi, je vois une bonne figure de territorial,[1] 15
un bon « pépère »[2] comme on les appelle. C'est un
homme fort placide et accueillant, paisiblement occupé à
fumer sa pipe qu'il rallume, de temps à autre, à la flamme
de son briquet.

Je ne tardai pas à remarquer, sur la banquette à côté 20
du poilu, un sac de mystérieuse apparence, plus imposant
encore que son propriétaire. C'était un sac énorme et
lourd qui devait être rempli d'autre chose que de plume.
Le train roulait; le poilu fumait. De temps à autre le
sac menaçait de s'écrouler et rendait un son métallique 25
étrange. Alors, d'une main robuste, le poilu poussait le
sac contre la paroi du wagon.

Ce sac finissait par m'intriguer,[3] autant que l'indifférence de son propriétaire. Je voulus en avoir le cœur net
et j'engageai la conversation: 30

—Qu'est-ce que vous portez là, mon brave?

—Oh! pas grand' chose, mon lieutenant.

— Ça a l'air lourd.

— Oh! ce n'est rien, des bricoles pour le patelin·et les enfants.

— Vous venez du front?

5 — Ah! mais oui! 42ème territorial, secteur tant, tranchées de deuxième ligne.

— Alors, vous trouvez des choses comme ça au front?

— Il faut bien.   On ne les trouve même que là.

Sur quoi, un silence.   Le train roule, le poilu fume, le
10 sac va tomber.   Même jeu du poilu, même bruit métallique du sac.

Sur ce, un autre poilu, dans le compartiment, s'est mis à parler obus [1] et explosifs d'un air entendu.[2] Oh! les 150, les 220, les 400,[3] il les connaît bien celui-là.   Telles
15 dimensions, telle détonation, telle fusée.   Et tout le monde d'acquiescer [4] en chœur.

Il n'y a que le bonhomme au sac qui n'a pas l'air d'être de l'avis de tout le monde.   Sa physionomie a perdu son expression débonnaire.

20 Ses yeux brillent.   On dirait qu'ils vont parler.   Le bonhomme a la main sur son sac maintenant, une main qui s'agite comme si elle voulait en délier les cordons.

Et l'expert en obus [5] continue.   Pas de doute, il sait fort bien la différence entre la fusée allemande et la
25 fusée autrichienne.   Et, puisqu'on parle d'aluminium et de cuivre, personne n'ignore que le cuivre a été remplacé, depuis longtemps, par l'aluminium pour fabriquer les fusées d'obus.

Ah! c'est trop fort cette fois.   Le poilu au sac a en-
30 levé sa pipe de sa bouche; il a craché par la portière et, d'un geste brusque, il ouvre le sac mystérieux.

Imaginez-vous, mon cher William, la plus jolie col-

lection d'explosifs qu'on ait jamais vue, des engins superbes et mortels qui brillent de tout leur éclat: [1] torpilles,
pétards, grenades et des obus de calibre respectable, cein-
turés de cuivre ou casqués d'aluminium, de quoi faire
sauter un village.   Et j'entends encore la voix triomphante 5
du collectionneur d'obus s'adressant au soi-disant expert:
« Eh bien! vous n'y connaissez rien, vous. La fusée
autrichienne, la voici. La fusée allemande, la voilà!
De l'aluminium ça? Regardez! » et le poilu de taper [2]
l'obus contre la paroi du wagon.   Il allait en faire autant 10
avec une grenade. Mais tout le monde était convaincu.
Le train stoppe. Le poilu rentre sa marchandise. Il
rallume sa pipe éteinte, dit au revoir à tout le monde et
descend en fredonnant une chanson, non sans heurter
vigoureusement une fois de plus le sac aux obus contre 15
le wagon.

Indifférence au danger. Je ne l'avais jamais vue plus
complète que ce jour-là. C'est la guerre.

Votre dévoué,

HENRI.

XVI.   L'ATTAQUE DE CHAMPAGNE [3]

Henri de nouveau blessé — L'évacuation — Le train sanitaire

Henri à François.

Train Sanitaire Numéro 9,
le 30 septembre, 1915.

Mon cher François,

A mon tour de te conter mon histoire, mais elle sera
courte, comme la part que le sort m'a obligée de prendre 20

à notre offensive de Champagne. C'est à la cheville cette fois que j'ai été touché, au moment où j'enjambais le parapet. Il n'a pas dû s'écouler plus de trois minutes,[1] entre mon départ de la tranchée et ma blessure. Un bond à découvert, la sensation d'une guêpe qui me pique à la jambe et je m'affale. Je n'ai eu pour m'évacuer qu'à me laisser glisser dans la tranchée d'où je sortais, et les brancardiers ont fait le reste.

Je t'écris en cours de route, logé comme un prince sur un brancard, dans un superbe train sanitaire chargé de « glorieux poilus » comme moi. Beaucoup sont malheureusement blessés grièvement. N'importe, c'est magnifique. Tu devrais voir ça. On vient de m'acheter le journal en gare de Châlons.[2] Nous avons fait 25,000 prisonniers, pris des centaines de canons, des milliers de mitrailleuses. Je ne regrette pas ma blessure.

Ça chauffe dur au front et on ira peut-être loin cette fois. La première ligne ennemie est emportée. Tiens, justement, voilà des Allemands qui passent sous nos fenêtres. De fameux gaillards tout de même et qui ont du cran,[3] malgré leur lourde souquenille grise et leur calot de forçat. Je vois d'ici le regard de travers que nous lancent leurs officiers et leurs feld-webels. Il y en a plusieurs, à bord du train, de grièvement touchés.[4] Nous avons, entre autres, un grand lieutenant de dragons prussiens que l'on m'a montré, étendu sur son brancard, sa casquette à liséré blanc rabattue sur ses yeux et fumant dédaigneusement ses cigarettes. Un aviateur, paraît-il, qui s'est cassé une patte en tombant de là-haut.

Il passe de pleins trains de prisonniers, et tous les poilus qui peuvent se tenir sur leurs jambes sont aux portières. Comme disait tout à l'heure un loustic: « Il faut profiter

de l'occasion.[1] C'est à l'intérieur qu'il faut aller voir le
Boche. Il ne se montre que là.» C'est comme ce poilu
qui avait fait Charleroi[2] et la Marne et qui demandait,
en guise de plaisanterie, à tous ceux qu'il rencontrait:
« Quelqu'un a-t-il vu des Prussiens ? »   5

Nous roulons vers Bordeaux et personne ici ne regrette
le voyage. C'est pittoresque, un train sanitaire et les
poilus n'oublient jamais ça. Pense donc, François, se
faire promener ainsi gratuitement par toute la France,
« en train de luxe et aux frais de la Princesse »,[3] comme   10
ils disent, eux qui ne sortaient jamais de leur trou et
pour qui le monde tenait dans l'enceinte de leur petite
ville ou de leur village.

Tu devrais les voir aux portières. Ils font de leur mieux
pour attirer l'attention. La plupart d'entre eux sont   15
revenus du champ de bataille avec des trophées, fusils,
ceinturons, sacs et quoi encore ? Mais ce sont surtout
les casques boches qui font prime. Il en est de superbes.
De véritables œuvres d'art. J'en ai un, un casque d'officier
de la garde, en cuir bouilli, luisant comme de la laque, 20
avec un aigle d'or, les ailes déployées, et un magnifique
cimier.

Chacun de nos poilus a le sien, des casques de troupe
pour la plupart, recouverts du manchon gris. Tu devrais
voir l'étonnement des enfants et des femmes, en apercevant 25
ces casques à pointe aux portières. Il faut bien rire un
peu, même quand on est blessé.

Et nous poursuivons ainsi notre voyage triomphal.
Comment penser à ses misères ? Tout le monde est si
bon pour nous. A chaque gare, c'est une véritable ova- 30
tion. Les dames de la Croix-Rouge sont là et parfois
tout le village accourt. Tout le monde a apporté aux

soldats quelque chose à boire et à manger, ou bien de quoi fumer. Et il y a des jeunes filles qui donnent des fleurs et d'autres qui ne donnent rien, mais qui se contentent de pleurer. Et le train siffle et les mouchoirs s'agitent et l'on repart.

Ce matin, nous avons longé la Loire et nous avons entrevu ses châteaux.[1] Nous étions en Touraine, au jardin de la France. Nous avons vu Blois,[2] Amboise,[3] Chenonceaux,[4] la belle Loire et les jolis coteaux couverts de vignobles, le ciel bleu-de-roi [5] et fleurdelisé de jolis nuages [6] qui semblaient nous suivre comme les avions à la revue du 14 juillet. Que c'est beau, la France!

Nous avons été admirablement soignés en cours de route. Ces trains sanitaires sont de véritables hôpitaux roulants avec un personnel complet de médecins et d'infirmiers et tout l'équipement nécessaire, même pour faire en route des opérations. Notre train sanitaire se distinguait en outre par un beau wagon flambant neuf et pavoisé aux couleurs américaines. C'est le don d'une ville des États-Unis à l'armée française et les noms des donateurs sont inscrits sur le wagon. Ces Américains ont le génie de la générosité. Rien ne nous manque.

A bientôt le lit blanc d'hôpital, les attentions et les petits soins, le repos, la paix et des nouvelles de mon cher François, je l'espère.

Tout à toi,

HENRI.

XVII. EN ARTOIS

**Messieurs les Anglais — « A boire! A boire! » —
L'officier mitrailleuse — Tommy et sa marraine —
Un triste refrain**

François à Henri.

En Artois, le 1 octobre, 1915.

Mon cher Henri,

Pendant que mon lieutenant se prélasse dans un bon
lit d'hôpital, son ami François est à l'honneur et à la
peine,[1] « quelque part » en Artois, avec Messieurs les
Anglais. Ah! mon cher, quelles rudes et braves gens!
Je ne les connaissais, avant 1914, que pour les avoir vus 5
autour du Louvre[2] ou le long de la rue de Rivoli,[3] le
Baedeker[4] à la main. Tout ce que je savais des Anglais,
c'est qu'ils aimaient le rosbif saignant, les romans en
cinq cents pages et leur thé à cinq heures. Me voilà
depuis un mois avec les Tommies. Oh! les fiers poilus! . . . 10

Je les avais déjà aperçus du côté d'Ypres, en novembre,
1914, et on se passait déjà sur leur compte des histoires
suffisamment héroïques. Mais il fallait y être pour le
croire. Ils sont splendides. Tommy Atkins, ce n'est
plus tout à fait notre poilu. Moins de blague, presque 15
pas de gaîté, un sérieux qui vous déconcerte. Mais,
quand on a brisé la glace, quels bons cœurs!

A Ypres,[5] les Anglais ont été tout simplement sublimes.
Ah! cet effroyable bombardement de novembre, 1914!
Les Allemands nous débordaient sur l'Yser. De la glo- 20
rieuse Belgique, il ne restait plus que quelques kilomètres
de plaine sous trois pieds d'eau et Dixmude en ruines.

Les Allemands voulaient Ypres morte ou vive. Ils ont tué Ypres, mais ils ne l'ont pas eue, et cela grâce aux Anglais.

Tu as dû entendre parler de cette affaire. Ypres, jusque là tranquille, s'éveille un matin de Toussaint sous un ouragan de bombes. La vieille cité flamande est fière de ses monuments fameux, l'église de Saint Nicolas et surtout la Halle-aux-Drapiers, véritable dentelle de pierre.

Là-dessus les obus allemands s'acharnent. Tout croule, Ypres est un enfer. Les Boches veulent passer à tout prix. S'ils passent, adieu les derniers lambeaux de la Belgique libre. Mais ils ne passeront pas.

Les Canadiens et les Écossais sont là. Le mot d'ordre est de se faire tuer sur place jusqu'au dernier, et les Écossais se font tuer. Les marmites pleuvent, les rangs s'éclaircissent. Les Écossais ne bronchent pas. Ils ne sont bientôt plus que quelques centaines. Et les « Jack Johnsons »[1] font des trouées sanglantes dans leurs rangs. N'importe. Quand le soir arrive, les Highlanders sont toujours à leur poste. L'ennemi est repoussé.

Tu devrais les voir, ces Highlanders, avec leurs jupons bariolés et leurs cornemuses, surtout leurs gigantesques timbaliers qui font le moulinet en battant leur caisse. Des soldats pour rire, dirait-on, mais il n'y a qu'à les voir à la bataille pour changer d'idée.

L'autre jour, chaude alerte, l'ennemi attaque les premières lignes. Pour empêcher l'arrivée des renforts, il déchaîne un formidable feu de barrage. Impossible aux réserves de passer là-dedans. Mais les réserves viennent d'Écosse et les pompons rouges[2] passeront quand même.

LA HALLE AUX DRAPIERS

Devant eux, le rideau de feu. A la file indienne, les
Écossais avancent. La plupart tombent, mais il y en a
qui passent et ce qui reste du régiment est bientôt sur
l'ennemi. Ça, c'est du cran ou je ne m'y connais pas.
Le Kaiser a appris à ses dépens ce que peut faire « la 5
méprisable petite armée » qui débarquait en Flandres
en août, 1914.

Quant aux preuves individuelles de courage, les Anglais
en donnent tous les jours d'éclatantes. Ils ont leur
façon de faire les choses et elle en vaut bien une autre. 10
Tel ce trait que l'on m'a raconté l'autre jour. C'est en
Artois![1] Une tranchée anglaise avancée est cernée
par le Boche. D'une section de mitrailleuses il ne reste
qu'un officier et un sergent. La mitrailleuse est à peu
près hors d'usage et elle a perdu son trépied. Comment 15
va-t-on la mettre en position? Qu'à cela ne tienne!
Le sergent la servira et l'officier la prendra sur son épaule.
Si le fusil s'échauffe après quelques coups, pense donc à
la mitrailleuse qui envoie ses centaines de balles à la
minute. 20

Le sergent tire; la mitrailleuse crache ses balles; cela
dure tant que cela peut, assez longtemps pour repousser
l'attaque boche. Pendant tout ce temps-là, l'officier
anglais a rempli, à la lettre, son rôle de trépied vivant.[2]
Il n'a pas dit un mot. Il n'a pas poussé une plainte. 25
Mais le feu fini, il s'affaisse. Il avait le dos entièrement
calciné et il est mort à l'ambulance. Ça, c'est du courage
ou je ne m'y connais pas.

Et ils font cela si calmement. Un soir, pendant une
minute de répit entre deux bombardements, une section 30
anglaise garde la tranchée. La nuit tombe. Peut-être
aura-t-on un peu de calme. Mais non, le bombardement

reprend de plus belle [1] et les mitrailleuses crachent. Il
faudra passer la nuit sous les obus. Le terrain, devant le
parapet, est couvert de blessés anglais qui appellent.
Impossible de leur porter secours. Les mitrailleuses
5 balaient l'espace et les blessés crient. Il y a une voix
surtout, presque intolérable à force d'insistance: « A
boire, camarades, à boire ! » Mais défense expresse de
s'exposer.

Cependant un soldat anglais n'y tient plus.[2] Il s'ap-
10 proche de son officier: « Monsieur, permettez-moi de
porter à boire à l'ami ! » L'officier ne sait pas refuser.
Le Tommy escalade le parapet et, sous un feu d'enfer,[3]
il porte sa gourde à son camarade. Un autre blessé
l'appelle au passage, puis un troisième. Il épuise sa
15 provision d'eau et il revient sous les balles, reprendre sa
faction. Voilà leur sang-froid.

Naturellement, Tommy Atkins reste fidèle à ses habitudes nationales. Il est très jaloux de son confort. Voici
la lettre qu'un poilu anglais écrivait à sa marraine de
20 Londres:

　　« Ma chère marraine,

　　« Je vous écris pour vous dire combien le gouverne-
ment du Roi a soin de nous, et pour que vous ne vous
inquiétiez pas. Cela va vous surprendre, mais je veux
vous dire ce que je porte dans la tranchée pour me tenir
25 chaud.

　　« Je porte deux gilets de dessous, deux chemises de
flanelle réglementaires, deux paires de pantalons, une
vareuse de tricot, une tunique, une peau de bique, ma capote et, en cas de pluie, un imperméable, une paire de
30 mitaines, et des gants de laine. J'oubliais les ceintures de

flanelle. J'en porte trois sur moi et, quand je suis de garde la nuit, j'ajoute un épais cache-nez.

Votre,

TOMMY.»

On peut être un héros et ne pas aimer le froid. C'est l'amour du confort qui a inspiré à Tommy Atkins la chanson suivante qu'un interprète de mes amis m'a 5 traduite:

« C'est gentil de se lever le matin, pour prendre les armes à
    l'aurore,
De cinq à six, sous la pluie qui ruisselle, en souhaitant de
    n'être jamais né,
Et quand les obus tombent, et que les balles sifflent sur votre
    tête,
Oh! c'est gentil de se lever le matin, 10
Mais c'est joliment plus gentil encore dans un bon lit.»

Ton dévoué,

FRANÇOIS.

XVIII. AU SERVICE DE LA FRANCE

La Légion Étrangère — Un caporal héroïque

Charles à William.

En Champagne, le 12 octobre, 1915.

Mon cher William,

Non, je n'ai pas pu voir ton ami Henri. J'ai appris qu'il était blessé et évacué. La Légion Étrangère [1] a donné vigoureusement dans l'attaque de Champagne. [2] Mais, quant à moi, mon bataillon était en réserve, en 15 attendant mieux. La Légion a été très éprouvée en

Champagne.   Elle a fait ses preuves à Souain et à la
ferme de Navarin.[1]   Je suis très fier de mon arme.

Tu sais pourquoi je me suis engagé dans la Légion avec
quelques autres Américains comme moi.   Tu connais les
5 vers du poète français:

« Tout homme a deux pays, le sien et puis la France ! »

Ce n'est pas seulement l'aventure que je cherchais.
J'ai voulu rendre à la France ce qu'elle a fait pour nous,
il y a cent ans, et payer ma dette à La Fayette et à Ro-
10 chambeau.[2]   Nous autres Américains, nous devons tous
quelque chose à la France.

N'est-ce pas en France que nous allons chercher, depuis
des générations, tout ce qui fait la joie et la douceur de
vivre, nos tableaux, nos meubles, nos parfums, nos modes,
15 sans oublier les livres?   Y a-t-il une littérature plus
humaine que celle du pays de la Chanson de Roland,[3]
de Montaigne,[4] de Corneille,[5] de Molière,[6] de Voltaire[7]
et d'Anatole France[8]?   J'aime cette belle humanité de
la France et, au moment où elle se battait pour son
20 existence, je n'ai pas voulu la trahir.   J'avais lu ces vers
de notre camarade de Harvard, Allan Seeger,[9] comme
moi Légionnaire:

« Voulez-vous voir comment un peuple peut se grandir,
    Qui n'a ni amour, ni peur non plus de la guerre;
25 Comment chacun peut s'oublier,
    Pour que tous agissent à l'unisson;
    Comment des hommes peuvent être dignes du rang auquel
        ils prétendent,
    Et une nation, jalouse de son bon renom,
    Être fidèle à son glorieux héritage,
30 Tournez vos yeux ici et apprenez-le de la France.»

La Légion est un curieux mélange de gens venus de tous les points du monde. Nos officiers, pour la plupart, sont français. Mais les soldats appartiennent à toutes les nationalités. Mon sous-lieutenant est brésilien, mon adjudant polonais, mon caporal alsacien. Dans ma section il y a deux Russes, un Syrien, un Hollandais, plusieurs Grecs, et nous sommes trois Américains.

Mon régiment a déjà fait parler de lui,[1] depuis le début de la guerre. Nous avons été cités plusieurs fois à l'ordre du jour et notre drapeau a été décoré de la Légion d'honneur. Pour attester que nous sommes une troupe d'élite, nous portons un insigne spécial: la fourragère[2] rouge, à l'épaule gauche. En outre, avec les zouaves, les tirailleurs algériens ou marocains, nous avons l'uniforme non pas bleu horizon, mais khaki.

Pour te donner une idée de l'esprit qui anime la Légion, laisse-moi te raconter l'histoire d'un de nos caporaux. C'était en Champagne, il y a quelques semaines. Le poste de secours du bataillon était installé, tant bien que mal, dans un bois de pins. Le major du bataillon était à sa besogne, coupant, pansant, faisant de son mieux, car l'affaire était chaude. Les blessés affluaient et les morts seuls ne revenaient pas. Quel est le soldat du 3ème Étranger qui n'a pas passé, ce jour-là, par l'ambulance?

Tout à coup voilà un petit caporal qui arrive, tout fumant encore de la bataille, la joue en feu:

« Vite, monsieur le major, ça presse . . . Une piqûre antitétanique et que je retourne.»

Le major s'enquiert du siège de la blessure:

« Oh! rien, un simple bobo, quelque part là, à l'épaule.»

Encore fallait-il voir![3] On défait la vareuse du caporal.

Il a toute l'épaule droite labourée par un éclat d'obus.
Le sang coule en abondance:

« Mais mon brave, fait le major, vous perdez beaucoup
de sang. On va vous évacuer.

5 — Pas le temps, monsieur le major. Les camarades
m'attendent. On n'est plus nombreux au bataillon.»

Et pendant qu'il parle, voilà le sang qui coule le long
de l'autre bras.

« Et ça? Voyons aussi.

10 — Oh! rien, monsieur le major, une simple éraflure.
Une balle de mitrailleuse qui ne s'est pas arrêtée en
chemin. Faites vite, on m'attend.»

Du poste de secours, en effet, on entendait sonner la
charge. Le major hoche la tête, sceptique. Encore
15 une fois, il presse le blessé de se laisser évacuer. Mais le
petit caporal insiste. Il faut qu'il retourne vers les siens.
Alors, vivement, le major nettoie et panse. On remet la
vareuse, et le blessé a un mot sublime:

« Eh bien! tenez, monsieur le major, j'ai encore quelque
20 chose qui me pique là, à la jambe. Voyez donc, puisque
vous y êtes.» [1]

On défait les molletières. Le caporal a un éclat dans
le gras du mollet. On l'extrait; on le panse. Encore
on lui propose [2] de l'évacuer. Mais la charge sonne de
25 plus belle et le caporal va se battre.

Voilà la Légion. Des braves entre les braves.

Ton dévoué,

CHARLES.

DEUXIÈME PARTIE

Octobre, 1915–Mars, 1917

XIX. EN LORRAINE

Au pays de Jeanne d'Arc

Henri à Madame N ...

Domremy-la-Pucelle, le 20 octobre, 1915.

Chère Madame,

Vous êtes bien bonne de ne pas oublier tout à fait votre blessé de la Marne. Je vous aurais écrit plus tôt, si le sort ne m'avait envoyé dernièrement en Champagne où j'ai été de nouveau blessé, mais peu grièvement.

Je suis maintenant en convalescence dans un lieu bien 5 cher aux Français. Je suis à Domremy[1] en Lorraine,[2] au pays de Jeanne d'Arc. Je n'ai qu'à me mettre à la fenêtre pour découvrir le panorama de Domremy. Je vois la Meuse[3] qui coule dans les prairies, les collines de chaque bord, depuis Neufchâteau jusqu'à Vaucouleurs,[4] 10 des villages dans la vallée, des villages sur les coteaux. En face de moi, j'aperçois un des sanctuaires où Jeanne allait prier, et les cloches de l'antique église sont peut-être celles que la Pucelle entendait.

A flanc de coteau, voici la basilique érigée en l'honneur 15 de Jeanne. L'intérieur est décoré de fresques qui repré-sentent les exploits de la Vierge d'Orléans: le départ de Vaucouleurs, l'entrevue avec le Dauphin de France à Chinon,[5] puis les batailles d'Orléans, de Pathay,[6] Jeanne d'Arc prisonnière à Compiègne,[7] le procès et la mort sur 20 le bûcher à Rouen.

La basilique de Domremy est bâtie sur l'emplacement même de la fontaine près de laquelle Jeanne d'Arc gardait ses brebis en filant. J'ai visité déjà plusieurs fois la maison natale de Jeanne. C'est une antique maison du 5 moyen âge partiellement restaurée et transformée aujourd'hui en musée où je repasse mon histoire de France.

Mais ce qui m'attire et me charme surtout à Domremy, ce sont les souvenirs et l'atmosphère du lieu: la chambre de Jeanne, la vieille église où elle allait prier et se 10 préparer à sa mission, en méditant sur les malheurs de la France. Un lieu que je fréquente volontiers, c'est le jardin où Jeanne entendait les voix célestes. Quand les trois coups de l'angélus tintaient à l'église, les Anges, descendus du ciel, interpellaient la sainte et elle répondait à leur voix. 15 Derrière le village, il y a toujours le bois chenu où peut-être les fées se cachent encore, en attendant des danses et des guirlandes.

Mais si les fées sont peureuses, celles de Domremy doivent être bien effrayées. D'ici on entend le canon, et 20 la présence de la guerre donne à Domremy l'aspect héroïque qui lui convient. Où les moines et les religieuses disaient leurs prières, les soldats logent maintenant. Jeanne d'Arc est bien gardée et les poilus sont fiers d'elle. Vous devriez les voir défiler respectueux et un peu ahuris 25 devant ces belles batailles peintes dans l'église et si différentes de celles d'aujourd'hui. Ils n'en croient pas leurs yeux, mais cela leur fait plaisir.

Permettez-moi de vous envoyer quelques vues de Domremy. Elles vous inspireront, peut-être, le désir d'y 30 venir en pèlerinage.

Votre respectueusement dévoué,

HENRI VILLERS.

LA VISION DE JEANNE D'ARC

XX. EN LORRAINE (suite)

Le régiment qui passe — Jeunes soldats — En famille — Le retour du poilu

Henri à Madame N . . .

Domremy-la-Pucelle, le 4 novembre, 1915.

Chère Madame,

Vous désirez d'autres détails sur le pays où j'habite et je me fais un plaisir de vous les donner. La vie à l'arrière du front est fort pittoresque. Nos villages de Lorraine sont transformés en garnisons. On instruit actuellement, tout près du front, les jeunes classes. On [5] vit au son du clairon et à celui plus lointain du canon. Parfois, des régiments passent.

L'autre jour, une division retournait des lignes où elle avait donné dans une attaque. Elle venait se reformer à l'arrière et je l'ai vue défiler. Ce n'était plus la revue [10] du 14 juillet, avec ses brillants uniformes et ses soldats neufs. Régiments après régiments, de vrais poilus cette fois défilaient. La pluie avait délavé leurs uniformes. La boue des tranchées les avait salis. Les casques bosselés portaient les traces de la bataille. Le drapeau était [15] roulé dans sa gaîne de toile cirée. Une pauvre musique cadençait le pas. Les poilus marchaient silencieux et courbés.

Ils passaient, des mille et des mille, aux accents de « la Marche Lorraine »,[1] bataillon après bataillon, com- [20] pagnie après compagnie. Puis venaient les sections de mitrailleuses avec leurs jolis mulets, puis les ambulances et tout cela se perdait au loin, gris sur la route grise.

Nos jeunes soldats sont différents. Ils sont gais et bruyants. Ils s'entraînent ici à la vraie guerre. Pendant que je vous écris, j'entends les détonations de leurs engins. Ils s'exercent dans un champ voisin à lancer la grenade à main et à bien viser avec le fusil lance-grenade ou la mitrailleuse.

Vous voulez savoir comment va la vie dans nos campagnes. Nos bonnes gens sont toujours là. Les fils sont partis à la guerre. Il y en a qui sont morts. On se murmure leurs noms, de porte à porte. D'autres mourront. Mais la vie est la vie,[1] et l'existence campagnarde continue son train. Les vieux et les quelques jeunes qui restent vont aux champs. Les ménagères continuent leur ménage. Les enfants vont à l'école et les petites filles dansent leurs rondes sur la place du village.

Le soir, à la veillée, on dirait qu'il n'y a rien de changé. Sans doute les fils de la maison sont partis, mais il y a d'autres soldats, jeunes et vieux, qui les remplacent. La France ne fait plus qu'une grande famille.

Vous devriez venir avec moi, le dimanche, à la grand' messe, dans l'église du village. On ne reconnaît plus nos vieilles églises, autrefois si paisibles. L'autel est décoré avec les drapeaux alliés, en guise de bouquets. Il y a des ex-votos que les poilus ont rapportés de la bataille, des casques, des épées, des décorations. Je me rappelle même avoir vu dans une église, au-dessus du chœur, un aéroplane en papier peint, l'appareil le plus pratique en effet qu'on ait inventé jusqu'ici, pour monter au ciel.

J'habite chez une brave famille, comme il y en a tant en France actuellement. Elle se composait, en temps de paix, du père, de la mère, de deux sœurs avec maris et enfants. Tout cela vivait du travail des champs. La

ferme est importante. Il y a les foins, le bois, les bêtes.
La mobilisation est venue. Les hommes sont partis.
Il ne reste plus que trois femmes et trois enfants, dont un
au berceau.

Et la vie continue. De temps en temps un bon poilu 5
vient donner un coup de main. Mais tout semble aller
comme de coutume. Le foin est rentré, le jardin pousse,
les bêtes ne manquent de rien, et les enfants sont sages
comme des images.[1] On trouve encore le temps de coudre
et de ravauder. C'est la guerre. Et pas une plainte. 10
Seulement, chacun travaille pour quatre.

Et puis, les hommes reviennent de loin en loin, tous
les quatre mois pour une semaine. Ils arrivent, si la
chance leur a été bonne, après un long voyage, pareils à
des revenants. Ils ont l'air, après si longtemps, de 15
rentrer comme des étrangers dans leur maison et ils em-
brassent timidement leur femme et leurs enfants.

Puis on se refait aux anciennes habitudes. Le poilu
redevient laboureur. Les bêtes le reconnaissent quand
il entre dans l'étable et l'on dirait que cela va durer 20
éternellement, mais cela ne dure qu'une huitaine. Après
huit jours, il faut repartir et se dire adieu, comme pour la
mobilisation. On retourne là-bas où l'on a, en un jour,
plus de dix chances de mourir. Et l'on part cependant
bravement. Les femmes cachent leurs larmes dans leur 25
tablier. Avec les enfants elles accompagnent leur homme
à la gare. Le train siffle, on s'embrasse, on se fait signe,
et l'on revient au logis désert une fois de plus. C'est la
guerre.

Votre respectueusement dévoué,

HENRI VILLERS.

XXI. VERDUN ET LES AMBULAN-
CIERS AMÉRICAINS

Les prisonniers — Canonnades — Quitte pour
la peur

William à Charles.

Verdun, le 15 novembre, 1915.

Mon cher Charles,

Merci de ta bonne lettre et félicitations au vaillant
Légionnaire. Pour moi je suis à Verdun[1] avec notre
ambulance-automobile et je commence à prendre goût au
métier.

5   Verdun est une ville héroïque qui a une bien longue
histoire. On sent cela rien qu'en passant dans les rues.
La Meuse qui coule dans les fossés de la ville, les ponts-
levis, la citadelle, le cercle imposant des collines que
l'on appelle les Hauts-de-Meuse[2] et qui sont autant de
10 forts, Douaumont, Vaux, Fleury, Thavanne:[3] tout cela
est bien le décor approprié à la guerre.

Je monte souvent sur la hauteur où se trouve la cathédrale. De là-haut, pour me convaincre de la présence de l'ennemi, je n'ai qu'à regarder, à l'horizon assez
15 rapproché, les ballons captifs ou « saucisses ». Ce sont
les yeux de la forteresse ouverts du côté des Allemands.

C'est ici un va-et-vient continuel de troupes de toutes les armes: artillerie, génie, aviation, intendance,
corps de santé, états-majors. Dans les rues étroites de
20 l'antique cité, on n'aperçoit que des uniformes. Hier j'ai
vu passer le général S ...,[4] gouverneur de Verdun, un
des vainqueurs du Grand Couronné[5] en 1914. Je t'assure

que je n'ai pas manqué de lui faire mon plus chic salut à la française.[1]

Parfois on rencontre des prisonniers, penauds et hirsutes, que l'on dirige vers la citadelle. Ce matin, je me suis même demandé si je rêvais. J'allais à la gare pour mon service quand j'aperçois... devine. Une dizaine de Boches authentiques avec leurs grandes capotes grises, leurs bérets à liséré rouge et des barbes d'anachorètes.[2] J'allais me mettre sur la défensive quand j'ai aperçu un gendarme débonnaire qui escortait les Allemands à distance respectueuse. J'ai toujours pris leur photographie.

La nuit, c'est magnifique autour de la forteresse. Un soir, je revenais avec ma machine du poste de secours. Il y avait attaque. Je n'oublierai jamais ni le bruit ni l'illumination. De tous les coins de l'horizon les grosses pièces se répondaient. Après le coup de la pièce, je percevais distinctement le sifflement de l'obus. Entre temps, c'était le tac-a-tac des mitrailleuses. Et quel feu d'artifice dans le ciel! Des fusées éclairantes montaient et descendaient, des rouges, des blanches, des vertes. Dans un massif d'aubépine un rossignol chantait, sur la plus haute branche, comme dans la chanson de Malbrough.[3] On se tuait dans ce bruit et dans cette clarté. Qui donc a inventé la guerre?

Jusqu'ici, notre activité n'a rien eu d'anormal.[4] Notre rôle consiste à aller prendre les blessés au poste de secours, près des lignes. Il y a parfois des accidents. B..., que tu connais, a eu l'autre jour sa machine réduite en miettes. Lui s'en est tiré sain et sauf, en piquant un plongeon dans une tranchée inondée. Les Boches deviennent nerveux. Toute la journée, ils fouillent les bois, à coups d'obus de gros calibre, pour trouver nos batteries.

L'autre jour, sur la route de Fleury, j'ai vu cela de près.
J'étais au fond de la vallée. Tout à coup, sur la colline
en face, s'élève un geyser de fumée noire, suivi d'une
formidable explosion, puis deux, puis trois, en descendant
5 le long des pentes, comme une main qui cherchait quelque
chose. Je suis parti en vitesse.

Ton dévoué,
WILLIAM.

XXII. L'ESCADRILLE FRANCO–
AMÉRICAINE

Batailles de l'air

John à William.

Luxeuil-les-Bains,[1] le 3 décembre, 1915.

Mon cher William,

Je suis à Luxeuil, une jolie localité, derrière le front
d'Alsace. Je fais partie de l'Escadrille Franco-Américaine.[2] Nous n'avons qu'à survoler les ballons des
10 Vosges pour trouver l'ennemi. D'en haut, c'est magnifique. Le pays est tout en hauts plateaux[3] et en vallées
profondes, en immenses prairies, en sources et en sapins.
Cela ressemble à notre Vermont.

A mon arrivée en France, j'ai dû faire un long appren-
15 tissage au camp de Pau,[4] dans les Pyrénées. Il a fallu
d'abord m'initier au métier de mécanicien. Il faut bien
connaître son appareil avant de s'en servir. Savoir son
moteur, en particulier, est toute une science.

Il y a autant de vols à apprendre que d'appareils:
20 monoplans, biplans, avions d'observation, avions de chasse.
C'est un avion de chasse que je pilote.

Tu connais le rôle de ces appareils. C'est l'avion de chasse qui est chargé de protéger les escadrilles de bombardement et d'observation. A-t-on décidé[1] une envolée sur les tranchées ennemies, pour photographier les positions, ou bien faut-il exécuter un raid en pays ennemi, au-dessus des usines de munitions ou des gares, on part à quinze ou à vingt.[2] Mais le Boche veille et il envoie des sentinelles dans le ciel. Il faut que l'avion de chasse escorte l'escadrille, comme le destroyer escorte le cuirassé.

En avant donc! dans la légère machine, avec une mitrailleuse bien approvisionnée. L'ennemi ne se fait pas attendre.[3] L'escadrille française est signalée. Les canons nous encadrent d'obus. On passe à travers le barrage. Mais voici les vedettes ennemies, et la chasse commence, à quelque trois mille mètres d'altitude.

Il y a des avions pour dénicher le gibier, d'autres pour le rabattre, et le reste pour l'exécuter. Attention! Il y a plusieurs moyens pour abattre un adversaire. On peut le survoler et le fusiller d'en haut, ou bien le prendre de flanc, mais toujours en tirant droit devant soi, ce qui nécessite bien des manœuvres.

Comme dernière ressource, il y a l'abordage. Un jour, un aviateur français aperçoit, à très haute altitude, un de ses camarades aux prises avec un fokker. La lutte est terrible. Le Français a épuisé ses munitions. Il ne reste plus qu'à fuir ou à se rendre. Mais non, il y a un autre parti: se précipiter sur l'adversaire et le couler avec soi. C'est ce qui arriva. A une vitesse de plus de cent kilomètres à l'heure, le Français gouverne droit sur l'Allemand et, bientôt, un double sillon de fumée décrivait dans le ciel le terrible drame. Le Français et l'Allemand venaient tous les deux s'écraser sur le sol.

Pour l'aviateur il y a deux dangers: la bataille et la chute. Il faut à la fois commander sa machine, épier les mouvements de l'adversaire et tirer. Quand on est deux, cela va encore. Et cependant, même dans ce cas, il y a des drames qui font frissonner. Un jour, un observateur part avec son pilote. Le Boche les attaque très haut. Le pilote est touché et s'affaisse. L'observateur est seul. Le Boche le fusille. Que faire? Il lui est impossible de riposter et de manœuvrer l'appareil en même temps. Par quel miracle s'en est-il tiré? A tout hasard, il finit par mettre la main sur la commande et il atterrit sain et sauf.

Et puis, l'aviateur qui se respecte doit se doubler aussi d'un acrobate.[1] Il faut savoir boucler la boucle, descendre en vrille. Tout cela demande un sang-froid rare, de la promptitude d'exécution et de l'audace. Un jour, un de nos camarades part en excursion. C'était un tireur renommé pour la précision de ses coups et qui ne s'embarquait jamais, sans ajouter à sa mitrailleuse un excellent Winchester. Bonne précaution. Voilà que sa mitrailleuse s'enraye en pleine bataille. S'il n'avait eu qu'elle pour se défendre, il était perdu. Mais il a son fusil automatique. Il ne s'agit que de viser le Boche au bon endroit. La position à la commande n'est pas favorable. Il faut avoir la liberté complète de ses mouvements.[2]

Qu'à cela ne tienne. Notre audacieux enjambe le garde-fou et se couche sur une des ailes de l'appareil. Il visait juste et bientôt le Boche s'affaissa dans sa machine. Mais songe donc à cette chasse là-haut, à deux ou trois mille mètres, et à ce tir sur cette aile d'avion, avec tout le vide au-dessous de soi.

Mais pense aussi aux citations et aux palmes et à l'orgueil de lire un beau matin dans les journaux: « X..., l'as des as, a descendu son N^{ième} avion.»

Ci-joint une photographie de l'Escadrille Franco-Américaine au grand complet.

Ton dévoué,

JOHN.

XXIII. L'ATTAQUE DE VERDUN

Les ambulanciers sous le feu — Un chauffeur héroïque

William à Henri.

Verdun, le 30 février, 1916.

Mon cher Henri,

C'est décidé. Le Kronprinz attaque Verdun.[1] Nos premières lignes sont enfoncées. Les Allemands, sur un front d'une vingtaine de kilomètres, avaient massé des centaines de mille hommes et des milliers de canons. Verdun brûle. Les hôpitaux, les casernes, la cathédrale sont bombardés.

On se bat dans des tranchées à moitié démolies, dans des trous d'obus. Les gaz, les liquides enflammés n'auront pas raison de nos poilus. L'armée française a juré de mourir dans ces ruines ou de vaincre. Ils ne passeront pas.

Mais, cette fois, notre métier devient dangereux. Il y a déjà plusieurs camarades tués dans notre section. Pour moi, je suis le premier étonné de me sentir encore sur mes jambes. Tu comprendras aisément pourquoi. Le problème à résoudre, actuellement, pour un conducteur

d'ambulance automobile à Verdun est des plus simples.
Étant donné, entre l'hôpital d'évacuation et le poste de
secours, une route à découvert de six kilomètres de long,
et étant donné, d'autre part, que, bien repérée en détail
par les artilleurs boches, la route en question est arrosée
par les obus tous les cinq cents mètres, il s'agit de passer
par là deux fois par jour, aller et retour, avec un chargement de blessés.

On s'en tire comme on peut, quand on s'en tire.   Mais,
l'autre soir, j'ai bien cru que j'y passais.[1]   Je pars comme
de coutume et j'avais résolu le problème ci-dessus, sur les
deux tiers de la route, quand une marmite s'avise de tomber juste droit devant moi.   Pas le temps de freiner.
Un éclat m'arrête net.[2]   Les deux roues de devant sont
réduites en miettes et l'automobile capote.   Il y avait
dedans six blessés.   Et les obus continuaient à pleuvoir.
J'ai passé là un fameux quart d'heure.[3]   Heureusement
un auto revenait à vide.   Mais son conducteur ne riait
pas quand il lui a fallu descendre et m'aider au transbordement de mes poilus.   Nous avons travaillé sans
rien dire, mais je crois que chacun de nous se mordait
les lèvres.   Enfin pas de mal.

En plein jour cela va encore, mais la nuit c'est autre
chose.   C'est l'heure des convois interminables le long
des routes.   Quand vous êtes couchés, vous entendez
ce cheminement, comme une rumeur confuse qui ne
manque pas de poésie.   Mais quand il s'agit de suivre
soi-même le convoi sous le feu, c'est moins poétique.
Les routes sont repérées la nuit comme le jour.   L'ennemi
les sait encombrées par les véhicules de toutes sortes et il
est sûr de faire mouche dans le tas.   Un de nos con-
ducteurs a été tué comme cela, la nuit dernière.   Le

CONVOI D'AMBULANCES

métier n'est pas rose.[1]   Mais comme on dit en France:
« Fais ce que dois, advienne que pourra.»[2]

Laisse-moi te rapporter un épisode dramatique survenu
l'autre jour.   Les Boches marmitent tout le secteur en
prévision d'une attaque.   Il faut se hâter d'évacuer les   5
blessés qui sont à l'ambulance, et il y a eu déjà des accidents.

Il ne reste plus que quelques poilus, assez gravement
touchés; entre autres un jeune sergent qui a reçu deux
balles dans la poitrine.   Il est affreusement pâle, mais   10
c'est un gamin de Paris et cela ne l'empêche pas de crâner.

Naturellement, on a mis tous ceux que l'on a pu dans
l'automobile et le véhicule est bondé.   Pour partir il faut
guetter la minute propice; on n'a qu'un instant entre
deux explosions d'obus.   «En avant pour Pantruche!   15
Complet à l'intérieur!»   C'est le gavroche qui raille,
mais les autres blessés ne rient pas.   On n'est pas encore
sorti de la zone dangereuse.   Toutes les deux ou trois
minutes une explosion.   Mais pas de mal, et l'auto file
de plus belle, et c'est à qui des blessés trouvera[3] dans   20
son argot les exécrations les plus pittoresques à l'adresse
des Boches.

Boum-broum!   Cette fois, automatiquement, l'auto
stoppe.   Un silence.   L'auto ne repart pas.   «Dix
minutes d'arrêt, buffet!»[4] crie le gavroche.   Mais rien   25
ne bouge!   Le Parisien frappe à la cloison: «Tout le
monde en voiture!   Fouette cocher!»   Mais l'auto ne
repart décidément plus.   Qu'y a-t-il?   Cette fois on n'a
plus envie de rire.

Les obus pleuvent.   Le véhicule peut être repéré.   Les   30
poilus s'impatientent.   Revenir à moitié vivant de la
bataille et se faire tuer là sur place!

Imagine-toi ces douze blessés impotents dans cet automobile sous le feu. If faut voir à tout prix ce qu'il y a et franchir ce mauvais pas. Alors, tant bien que mal, le sergent blessé se soulève. On l'entend
5 péniblement ouvrir la porte, puis . . . l'auto repart. La canonnade maintenant diminue; la confiance revient. De temps à autre, on entend, de l'intérieur, le sergent qui demande sa route aux soldats de passage: « C'est-y loin encore [1] l'ambulance ? — A deux pas, vieux frère ! — Merci,
10 les gars ! » et l'auto file.

Les blessés sont sauvés. Ils sont contents et c'est à eux maintenant de plaisanter leur chauffeur qu'ils ne voient pas mais qui, évidemment, sait son métier et file bon train: « Elle va bien, ta guimbarde ! » lui crient-ils
15 pour l'encourager.

Enfin un arrêt ! Voilà l'ambulance. Que se passe-t-il donc ? Il y a foule autour de la voiture. Tout le personnel de l'ambulance est accouru, major en tête, et l'on entend la voix du Parisien qui s'excuse: « Oh moi, ce
20 n'est rien, monsieur le major, je suis du métier [2] dans le civil, vous comprenez, et il fallait bien tirer de là les camarades . . . » Puis on extrait les blessés du véhicule et tout s'explique. Sur le siège de la voiture, sans que les poilus le sachent, il y a, depuis l'explosion et l'arrêt
25 de tout à l'heure, *deux* chauffeurs . . . mais l'un d'eux est vivant et l'autre est mort. Celui qui est mort, c'est le conducteur authentique que l'obus du départ a tué net sur son siège. L'autre c'est le sergent parisien qui a pris la place du tué. C'est lui qui s'est mis au volant
30 et qui a ramené ses camarades malgré ses deux balles dans le poumon.

Mais il était temps; l'effort l'a épuisé; il s'évanouit et

on l'emporte. « Brave petit gars, fait le major. Celui-
là n'aura pas volé sa croix d'honneur ! »

Ton dévoué,

WILLIAM.

XXIV. LES COUREURS DE VERDUN

William à Charles.

Verdun, le 29 mars, 1916.

Mon cher Charles,

Oui, Verdun continue d'être une véritable fournaise.
Mais les Français disputent le terrain pied à pied. Le
plus difficile est de maintenir les communications avec 5
l'arrière, sous cet effroyable bombardement. Après les
poilus qui se battent et qui meurent dans leurs tranchées
bouleversées, aveuglés par les gaz et par la neige, les plus
héroïques de nos hommes ce sont les coureurs.

Les obus ont coupé les communications téléphoniques. 10
Pour assurer la liaison, pour aller chercher des vivres, des
munitions ou des renforts, il n'y a plus que les coureurs.
On les choisit parmi les hommes les plus intrépides et les
plus intelligents. Leur mission est de passer à travers le
barrage, sans y laisser leur peau.[1] Imagine une course sur 15
ce terrain battu par les mitrailleuses et martelé par les
obus. Il y a bien, ça et là, des trous d'obus. Mais, à
Verdun, les Allemands font mentir le proverbe d'après
lequel les obus ne tombent jamais deux fois à la même
place. 20

Et les tranchées sont si rapprochées l'une de l'autre
que l'on risque, huit fois sur dix, de prendre l'allemande

pour la française. N'importe, il faut passer. Les coureurs partent et quelquefois reviennent. Quand l'un tombe, l'autre le remplace. Les épisodes héroïques à ce sujet ne sont pas rares.

5 L'autre jour, un coureur part en mission. C'est un jeune soldat de la classe 1915, presque un bleu. Il est nouveau au métier, mais il n'a pas froid aux yeux. La nuit tombe. Elle est traîtresse dans ces ravins des Hauts-de-Meuse. Le petit se trompe d'adresse et il va droit
10 sur la tranchée boche. Il a eu le temps de s'apercevoir de sa méprise, juste au moment où il sautait chez l'ennemi. Le voilà prisonnier.

Ils sont là une vingtaine d'Allemands qui se jettent sur lui et le désarment. Il y a même un officier qui, pour faire
15 peur à notre bleu, commande à ses hommes: « Fusillez-moi cet oiseau-là.» Mais l'oiseau ne s'en fait pas, comme disent les poilus. Même, peu à peu, les Boches s'apprivoisent et offrent des cigarettes à leur prisonnier. C'est qu'ils flairent l'attaque française et ils ont bien
20 l'air de la redouter.

Si les Français allaient venir! Et en effet les Français viennent, ou plutôt c'est un autre Français isolé qui se présente, un coureur comme le prisonnier. Lui aussi a fait fausse route et va donner dans le piège.

25 Le prisonnier n'a pas perdu sa présence d'esprit. Il a aperçu son camarade. Une idée lui vient tout à coup. S'il pouvait à la fois sauver le coureur et jouer un mauvais tour aux Allemands! D'une voix formidable, à la fois triomphante et tragique, il s'écrie: « Voilà les Français
30 qui arrivent! »

Aussitôt, grand effroi chez nos Boches déjà énervés par l'attente. Vite, ils lèvent les mains en l'air: « Cama-

rades! Camarades!» et ils déposent leurs armes. Seulement, il y eut pour le coureur de la classe 1915 un moment
pénible et il l'a avoué. Qu'allaient faire les Allemands,
s'ils s'apercevaient du stratagème en sortant de la tranchée? Mais il fallait compter sur la chance. Heureuse- 5
ment pour nos deux coureurs, une patrouille française
montait et le petit ramena les vingt prisonniers à son
capitaine. Inutile de vous dire qu'il a reçu la croix de
guerre.

Votre dévoué,

WILLIAM.

XXV. LA DÉFENSE DE VERDUN

Ils ne passeront pas — Traits d'héroïsme — Le tambour fantôme — Le soldat Guillaume — Le colonel Driant

Henri à William.

Verdun, le 15 avril, 1916.

Mon cher William,

Me voici à Verdun à mon tour, pas très loin de vous 10
probablement. Je suis bien guéri et j'ai demandé à
retourner au front. Nous sommes arrivés l'autre soir,
après un long voyage en autobus et pas mal de cahots.
Nous montons bientôt aux lignes. Si votre ambulance
vient du côté de F...[1] ne m'oubliez pas. L'amitié 15
d'un ambulancier est précieuse en des temps pareils.

Étrange bataille. On vous donne un trou d'obus.
On vous dit de tenir là jusqu'à la mort, et l'on tient.
Il y en a qui sont enterrés vifs. La terre encrasse les
fusils et les mitrailleuses. On tire quand même. Et 20

quand le Boche, après vous avoir bien copieusement
arrosés de marmites, vient pour vous prendre, il y a encore des baïonnettes pour l'arrêter.

Le poilu de Verdun sera célèbre. Voulez-vous des
5 anecdotes qui vous le fassent connaître?

Je commence par la clique enterrée (vous savez que « la
clique » désigne les tambours et clairons d'un régiment).
La lutte est chaude. Nos soldats tombent de sommeil et
de fatigue. Il faut, coûte que coûte, contr'-attaquer.
10 Debout tout le monde! Mais, malgré le marmitage, nos
poilus dorment à poings fermés. Un colonel a trouvé
un moyen ingénieux pour les tenir éveillés. Chaque
matin, il fait jouer à la musique des airs entraînants qui
remettent nos poilus sur pied. Oui, mais il y a des obus
15 pour les musiciens aussi et parfois la clique dort.

Donc, ce matin là, à l'aube, le colonel appelle la clique mais la clique ne répond pas. « Allons! Debout! »
Personne à l'appel. Un obus était tombé par là et la
clique était muette. « Debout! » crie la voix du colonel.
20 Et cette fois, du fond de la tranchée, une seule voix
répond: « Présent! mon colonel.» De la musique il
ne reste plus qu'un tambour pour répondre à l'appel.

Tant bien que mal, le tambour se lève. Son instrument
est à moitié pris dans l'éboulement. Il le dégage et
25 bat le réveil sur sa caisse. Les poilus avaient eu encore
une fois leur musique.

L'histoire du soldat Guillaume est fameuse. Nos
poilus ont la vie dure et le Kronprinz l'apprendra à ses
dépens. Un poilu très dur à tuer fait le coup de feu avec
30 sa compagnie entre deux tranchées. On se bat dans le
crépuscule. L'ennemi gagne du terrain. Guillaume —
c'est le nom du poilu — se trouve isolé. Il continue à tirer.

Mais bientôt il a épuisé ses cartouches. On va le prendre.
La perspective d'une villégiature en Bochie, comme
disent nos soldats, ne plaît guère à Guillaume. Il avise
un trou d'obus. Il s'y couche:

« C'était la première fois que je faisais le mort, disait-il 5
ensuite, et je n'avais pas du tout envie de l'être.»

L'ennemi avance. Guillaume retient sa respiration et
fait un mort en somme assez authentique. Il sent les
lourdes bottes qui le piétinent. Les Boches avancent,
se replient, avancent, se replient encore. Guillaume peut 10
sentir les fluctuations de la bataille aux coups de talon
sur son corps. Enfin, au petit jour, le supplice finit.
Les Allemands se sont retirés. Les brancardiers arrivent.
Guillaume est sauvé. Il est cordonnier de son métier et
il s'en tire avec un mot pour rire: « Quand je mettrai 15
des clous à mes chaussures, je n'oublierai jamais ceux
des Boches! »

Un bataillon de chasseurs s'est lancé à l'attaque. Il
est cerné dans les bois et déjà les chasseurs reçoivent des
balles dans le dos. Plus qu'une ressource: mourir ou 20
être faits prisonniers. Le bataillon est commandé par
un officier d'élite, le colonel Driant,[1] député de Nancy.
Le colonel réunit rapidement les officiers survivants.
Que faire? Se défendre jusqu'au dernier. Mais la
France a besoin de tous ses hommes. Si on essayait 25
une sortie[2] en arrière, vers la ligne française. Il y a un
vieux commandant qui pleure à cette idée d'un recul.
Mais il le faut. En avant! Les balles pleuvent. La
petite troupe diminue. La lisière du bois et la ligne française sont là. Trop tard! L'ennemi nous a complète- 30
ment tournés. Il ne reste plus qu'à mourir. Calme
comme à la parade, le colonel commande le feu. Une

balle l'étend raide mort. Mais c'est pour la France. Les chasseurs se sont fait abattre jusqu'au dernier. Du colonel les Allemands ne prendront que le cadavre.

Un sergent de mon régiment est parti au ravitaillement avec quelques hommes. Dans l'ombre il s'égare et prend une patrouille d'Allemands pour les nôtres. On l'entraîne dans la tranchée ennemie avec deux de ses hommes. On l'interroge et on lui déclare: « Vous êtes prisonnier! » Mais le sergent se rebiffe: « Prisonnier, moi! Allons donc! » Et il explique aux Allemands tout un plan de victoire imaginaire: « Comment! Mais c'est vous qui l'êtes, prisonniers! La redoute de Th...[1] est prise. Vous êtes tournés.

— *Ach! Doch! Unglaublich!* »[2] Les Allemands ont peine à se rendre à l'évidence. Mais ils ont le respect des faits et l'imagination du sergent français en donne de si circonstanciés que voilà les Boches qui[3] se désarment et notre sergent les ramène dans sa tranchée.

Ce sergent avait lu Molière et il disait à son capitaine, en présentant ses prisonniers: « Que voulez-vous, mon capitaine, je les ai pris, comme M. Jourdain, *par raison démonstrative.* »[4]

Voilà le moral de nos troupes et voilà pourquoi les Allemands n'auront pas Verdun.

Votre dévoué,

HENRI.

XXVI. L'OFFENSIVE DE LA SOMME[1]

Les tanks — Le siège de Crème-de-Menthe

John à Charles.

Sur la Somme, le 7 juillet, 1916.

Mon cher Charles,

L'offensive de la Somme se poursuit. Tous les jours,
nous gagnons du terrain. Verdun est sauvé; tout va bien.
Tu as dû entendre parler des nouveaux engins qui nous
ont valu nos succès. Les Français les appellent des
chars d'assaut et les Anglais des tanks. Le tank est un 5
monstre plutôt laid et assez féroce. Sa valeur à la guerre,
c'est qu'il est de la famille des rhinocéros et d'autres bêtes,
appelées pachydermes par les naturalistes, ce qui veut dire
« qui a la peau épaisse ». Le tank, en effet, grâce à son
blindage, est presque invulnérable. Il s'avance contre 10
les mitrailleuses sans broncher et les canons mêmes n'ont
pas facilement raison de lui.

Il paraît qu'à la première apparition des tanks sur le
champ de bataille, les Boches se sont sauvés d'effroi. Il
y avait de quoi. Tu sais qu'un mécanisme ingénieux 15
permet aux tanks de ramper jusque par-dessus les tranchées. Au lieu de roues, ils possèdent une sorte de chaîne
sans fin[2] qui se déroule sur le sol et ne risque pas de
s'embourber. Quant à la masse cuirassée des tanks,[3]
elle est assez lourde pour renverser des obstacles, abattre 20
les arbres et même les murs.

On conte déjà pas mal d'exploits accomplis par les
tanks. L'un d'eux s'appelait « Crème-de-Menthe ». C'é-
tait un excellent char d'assaut conduit par une équipe

d'élite.   On aurait pu aussi bien le baptiser: « La Terreur
des Boches.»   Crème-de-Menthe part l'autre jour à la
bataille.   Ni les mitrailleuses ni les canons ne lui font
peur.   Elle va, sournoise et pesante.   Devant elle fuit,
5 éperdue, une troupe de « Camarades » qui d'effroi ont
jeté leur fusil.

Mais bientôt les Boches se rallient autour de leurs
officiers.   A droite, à gauche, terrés du mieux qu'ils
peuvent, ils préparent une embuscade à Crème-de-Menthe
10 qui, en bon pachyderme, a la peau meilleure que les yeux.
Crème-de-Menthe est cernée.   Qu'à cela ne tienne.   Elle
fait feu de toutes parts.   Ses mitrailleuses, ses canons-
révolvers tiennent l'ennemi à distance.

L'ennemi est exaspéré.   Le siège se prolonge.   Il faut
15 qu'il ait Crème-de-Menthe.   Le voilà qui s'élance.
Crème-de-Menthe foudroie les premiers rangs des assail-
lants.   C'est bientôt une mêlée confuse et effroyable.
Abrités dans leur forteresse mouvante, les canonniers
anglais mitraillent l'ennemi.

20 Mais l'ennemi a engagé son honneur dans l'aventure.
Plus il en tombe, plus il en vient.   Pour comble de malheur, l'explosion d'un gros obus a paralysé Crème-de-
Menthe.   Ce n'est plus maintenant qu'un fortin dont
les Allemands font le siège.   Ils sont là une centaine.   A
25 droite, à gauche, dessus, dessous.   Il y a un parti de
Boches qui a escaladé le char d'assaut et qui fusille à
bout-portant l'équipage par les embrasures.

Mais l'équipage ne se rend pas.   Tous sont tués à l'exception d'un officier.   Toute résistance est inutile.   L'of-
30 ficier anglais est fait prisonnier mais, quand on le tire
de son char cuirassé, il a un sourire de triomphe.   Crème-
de-Menthe a des Allemands tués jusque sur sa carapace.

Elle a mérité la Croix de Victoria,[1] qu'on lui a donnée,
car les Allemands, chaudement poursuivis au cours de la
journée, n'eurent pas même le temps de l'emmener.

Les chars d'assaut vont faire parler d'eux. Ils pour-
raient bien gagner la guerre, et ce serait bien humiliant 5
pour un aviateur comme moi.

Ton dévoué,
JOHN.

XXVII. LA MORT HÉROÏQUE
D'ALLAN SEEGER[2]

Charles à William.

Sur la Somme, le 9 juillet, 1916.

Mon cher William,

Grande victoire! Nous avons pris Belloy-en-Santerre
et fait des milliers de prisonniers. Malheureusement,
nos pertes sont lourdes et j'ai le regret de t'annoncer la
mort d'un brave entre les braves, notre camarade de 10
Harvard, Allan Seeger, légionnaire et poète. Voici comment Seeger a été tué.

C'était le 4 juillet, le jour même de l'Indépendance
américaine, un beau jour pour battre les Allemands. La
bataille avait très bien commencé pour nous. Les pri- 15
sonniers affluaient. Mais il restait à prendre un gros
village, Belloy-en-Santerre. Quand il s'agit de tenter un
coup de main difficile, la Légion Étrangère est toujours là.

Donc le soir tombe. Le champ de bataille est relativement calme. L'ennemi est en retraite. Il ménage 20

même ses obus. Seulement, pour se couvrir, il tient, coûte que coûte, dans ce village. Il faut l'enlever.

Nous nous déployons dans les champs de blé. Les baïonnettes étincellent au soleil couchant. Le signal retentit : « En avant, la Légion ! » Et nous bondissons vers le village. Seeger est là. Je le vois encore, pâle mais résolu, les bras ramenés contre le torse, l'arme haute, les dents serrées. Il avait toujours rêvé de prendre part à un bel assaut comme celui-là.

Par bonds successifs, la compagnie avance vers le village. On bondit, on se couche, on tire. L'objectif est là, à la portée de la main. Malheureusement, il y avait sur notre droite un chemin creux et l'ennemi y avait embusqué ses mitrailleuses. L'effet du tir ennemi est terrible. Notre vague prise sous le feu est fauchée. Il y a peu de survivants. N'importe : « En avant, les amis ! » C'est un clairon qui nous entraîne, en sonnant follement la charge.

« En avant ! En avant ! » Heureusement, cette fois, les renforts accourent. Les compagnies de soutien nous rejoignent. Il était temps. Alors, on assiste à un spectacle sublime. Les blessés qui couvrent le champ de bataille se raniment aux accents des clairons. La vue de leurs camarades les électrise. Il y en a qui pleurent de rage de ne pouvoir nous rejoindre.

Et tous, de leurs yeux fixes, regardent là-bas vers Belloy. Nos compagnies cernent le village, refluent, avancent, reculent. Belloy va-t-il nous échapper ?

Mais, tout à coup, un grand cri parcourt le champ de bataille : « Belloy est pris ! La Légion est entrée dans Belloy ! » Tous ceux qui en ont encore la force se soulèvent pour acclamer les vainqueurs. Il y a des légionnaires qui sont morts de joie ce jour-là.

Seeger a été du nombre. Il avait toujours rêvé de mourir ainsi un soir de victoire et il avait donné rendez-vous à la mort:

> « J'ai un rendez-vous avec la Mort [1]
> A quelque barricade disputée,   5
> Quand vient le Printemps à l'ombre bruissante
> Et que la fleur du pommier emplit l'air ...
> J'ai un rendez-vous avec la Mort,
> A minuit dans une ville en flamme,
> Quand le Printemps reviendra cette année.   10
> Et je serai fidèle à ma parole,
> Je ne manquerai pas au rendez-vous.»

Nous l'avons enterré sur le champ de bataille.

Il avait composé lui-même son épitaphe dans les vers suivants: 15

> « Le soldat repose.   Maintenant, autour de lui impassible,
> Le canon tonne et, la nuit, il repose
> En paix, sous l'éternelle fusillade ...
> Pour que d'autres générations puissent posséder
> — Pendant des années, libres de honte et de menace —   20
> Un plus riche héritage de bonheur,
> Il a marché à cet héroïque martyre.»

Ton dévoué,

CHARLES.

XXVIII. LE FRANÇAIS TEL QU'ON LE PARLE AU FRONT ANGLAIS

Tommy Atkins polyglotte

John à Charles.

En Picardie, le 1 août, 1916.

Mon cher Charles,

Tu veux savoir comment nous nous entendons avec nos cousins les Anglais. A merveille. Tommy Atkins est un parfait gentleman sous les armes et il est facile de faire bon ménage avec lui. Tommy Atkins est un peu
5 mélancolique et taciturne, et cela semble parfois étrange aux Français. A part ça, Tommy est serviable. Il est propre, il n'est pas bruyant. Il est respectueux pour les femmes, bon pour les enfants, et tout le monde l'aime.

Il y a bien la question du langage. Mais Tommy
10 Atkins apprend le français et il s'en tire à merveille, comme tu pourras le voir d'après l'anecdote suivante. Un jour, Tommy est logé chez de bons Français. Il est tout à fait de la maison.[1] Il y a le vieux grand-père, la jeune bru, des enfants petits et grands que Tommy
15 cajole.

Envers les grandes sœurs, Tommy est galant et courtois. C'est sa façon de payer son écot. Le soir, Tommy s'ennuie et il aime à sortir en compagnie si le temps s'y prête.[2] Il sait au moins deux mots de français, et ce sont des mots
20 fort pratiques. Quand Tommy veut sortir en compagnie, il s'approche des grandes sœurs et propose: « promenade ». Quand il a soif, il demande: « lait ». Et tout le monde comprend.

Un soir, Tommy rentre « chez lui ». Il aperçoit, au
milieu de l'unique rue du village, l'unique vache de ses
hôtes qu'il reconnaît bien à son pelage. Les vaches sont
indépendantes et frondeuses sur le front. Celle-ci a
pris la clef des champs. Tommy a le sens inné de la [5]
discipline. Il faudrait avertir, tout de suite, la ménagère.
Si Tommy[1] allait manquer son verre de lait! Oui, mais
arrêter une vache en français est un problème. Tommy
est un instant perplexe. Puis il se souvient: « Lait.
Promenade.» Cela explique tout. Entre le mot *lait* et [10]
le mot *vache* les rapports sont étroits et, de *fuite* à *promenade*, il y a aussi quelque relation.

Tommy se précipite chez ses hôtes. La ménagère
est là qui ne se doute de rien. Tommy est radieux en
pensant à la surprise qu'il va lui faire, et du plus loin [15]
qu'il aperçoit son hôtesse:

« Madame! Madame! »

Là-dessus, mimique désespérée de Tommy Atkins qui,
d'habitude, est peu prodigue de gestes.

La fermière se retourne intriguée. Tommy Atkins [20]
part-il en permission ou bien la guerre est-elle finie?

Mais non, c'est moins important et c'est cependant
très grave:

« Madame! Madame! *Lait!* (c'est la vache) *Promenade!* (la vache est partie) » [25]

Croyez-vous que la fermière hésite? Non. Elle sait
son français et la voilà qui court après sa vache pour
mettre un terme à la *promenade*.

Tommy aura son bol de lait ce soir, comme chaque soir,
et il est très fier de son français. [30]

Ton dévoué,

JOHN.

XXIX. LA REPRISE DU FORT DE DOUAUMONT[1]

François à Henri.

En Lorraine, le 30 octobre, 1916.

Mon cher François,

Nous avons repris Douaumont. Verdun est sauvé. Tu sais que le fort de Douaumont était la clef de la défense française. Le fort avait été pris par les Brandebourgeois en mars, 1916. Nos troupes l'avaient repris en mai, 5 1916, mais nous n'avions pas pu le garder. Cette fois nous le tenons.

Le 24 octobre dernier, les zouaves ont occupé le fort. J'appartenais au N[ième] de ligne.[2] Nous devions prendre le fort par la gauche. Vers 11 heures, le bombardement 10 cesse. La préparation d'artillerie est suffisante. L'ordre arrive d'attaquer. « Attention, les enfants ! » — On est prêt.

Une brume persistante pèse sur les Hauts-de-Meuse et voile les objectifs. Tant mieux. La surprise n'en sera que plus facile. En avant ! Tout ne va pas sans 15 difficulté d'abord. Les Allemands ont fortifié les pentes et les avancées du fort.

Nous réduisons, l'un après l'autre, les centres de résistance. Puis tout à coup, vers deux heures, le brouillard se lève. On dirait qu'on vient de tirer un rideau comme 20 au théâtre. Tous les yeux se portent vers le fort. Et que voyons-nous ? Les zouaves qui escaladent les glacis de Douaumont, pendant que des colonnes de prisonniers commencent à descendre vers nos lignes. Il y en a plus de quatre mille.

Nous avons surpris les Allemands comme des rats dans leur nid. Ils ne s'attendaient pas à notre visite. C'était l'heure du déjeuner et ces messieurs vaquaient à leurs affaires, quand les zouaves sont tombés sur eux en leur criant: « Allons! ouste, les Boches! On décampe! »[1]

Plusieurs officiers furent pris au saut du lit. Les Allemands venaient même de recevoir leurs lettres. Leur vaguemestre faisait le courrier qui devait emporter les réponses, quand nos poilus le dérangèrent. Le courrier est parti mais, au lieu d'aller à Berlin, il a suivi la direction de Paris.

D'ailleurs, les Allemands ne se sont pas fait prier pour se rendre. Ils se sont mis tout de suite à offrir des cadeaux aux vainqueurs. Nos zouaves ont accepté de bonne grâce.

Ils n'avaient jamais fumé d'aussi bons cigares et les collectionneurs de boutons, de casques et de croix de fer n'avaient jamais trouvé pareille aubaine.

Le général Nivelle [2] vient d'adresser aux troupes victorieuses l'ordre du jour suivant:

« En quatre heures, dans un assaut magnifique, vous avez enlevé, d'un seul coup, à votre puissant ennemi le terrain hérissé d'obstacles et de forteresses, du nord-est de Verdun, qu'il avait mis huit mois [3] à vous arracher par lambeaux, au prix d'efforts acharnés et de sacrifices considérables.

« Vous avez ajouté de nouvelles et éclatantes gloires à celles qui couvrent les drapeaux de l'armée de Verdun.

« Au nom de cette armée, je vous remercie.

« Vous avez bien mérité de la patrie.

NIVELLE.»

Douaumont est pris. Le fort de Vaux[1] ne tardera pas
à tomber entre nos mains. Sur la Somme, les Anglais
font de la bonne besogne. Les Allemands ont perdu la
partie. Bravo!

FRANÇOIS.

XXX. UN HÉROS DE L'AIR

Guynemer,[2] l'as des as — Une leçon de courage

John à Charles.

En Picardie, le 1 mars, 1917.

Mon cher Charles,

5 Oui, mon métier d'aviateur me plaît de plus en plus.
Je ne suis pas encore un as, mais j'ai l'ambition d'en
devenir un. Nous avons ici d'illustres exemples sous
les yeux pour cela. Laisse-moi te dire que nous avons
l'honneur d'avoir actuellement parmi nous le roi français
10 de l'air, le fameux Guynemer, engagé volontaire à vingt
ans, capitaine à vingt-deux. Il en est à son trentième
avion allemand abattu. Laisse-moi te raconter en
abrégé la vie de ce prodige.

A la veille de la guerre il y avait dans un collège de
15 Paris un jeune étudiant dont les sports étaient la grande
préoccupation. Sa passion, après les sports, était la
mécanique et surtout l'aviation. C'était l'époque des
premières prouesses en aéroplane. Pégoud,[3] Blériot,[4]
Védrines[5] tournaient la tête à tous les jeunes Français.
20 Blériot, en particulier, venait d'effectuer la traversée
de la Manche (1911). Pégoud avait inventé l'art de
« boucler la boucle ».

Notre Guynemer mourait d'envie de leur ressembler.
Sur ces entrefaites, la guerre européenne éclate. Tous les
Français courent à leur devoir. Guynemer n'a que vingt
ans. Il est si frêle qu'on l'a surnommé la « demoiselle ».
Mais il tient de bonne race.[1] Il y a eu, depuis des siècles, 5
des Guynemer dans l'armée française. George veut être
soldat et l'arme dont il rêve c'est l'aviation.

Le voilà donc parti pour s'engager. Naturellement,
on le refuse. Il n'est pas assez fort pour faire un soldat.
Qu'il attende, qu'il revienne et l'on verra. Mais Guyne- 10
mer n'entend pas que la guerre finisse sans lui. Il insiste
et se représente au camp d'aviation de Pau.[2] Il va trouver
le commandant du camp:

« Mon capitaine, prenez-moi, je tiens à me rendre utile.

— Mais mon ami, vous êtes bien frêle. Il faut d'abord 15
vous engager.

— Eh bien! laissez-moi compter sur vous pour cela.»

Et cette fois Guynemer s'engage. Il est accepté. Le
voilà au comble de ses vœux. Les débuts sont durs.
Guynemer fait son apprentissage. Il est mécanicien. 20
Mais la mécanique est justement sa passion. Il connaît
bientôt son aéroplane sur le bout des doigts[3] et son ambition commence à battre de l'aile. La mitrailleuse avec
l'aéroplane: voilà ce qu'il lui faut. Il veut être le chevalier de l'air. Il le sera.
                                                              25
Tout de suite, l'obstination, la force de volonté et
l'audace de Guynemer ont frappé ses chefs. « La demoiselle » a surtout deux yeux qui disent tout sur son
intrépidité et qui font changer d'idée à ceux qui le dé-
daignent, deux yeux d'aviateur, deux yeux d'aigle. 30

Et le voilà qui inaugure ses premiers vols. Enfin, le
moment tant désiré approche. Guynemer part pour le

front.   Il fait partie d'une escadrille fameuse, l'escadrille des cigognes,[1] composée d'as illustres.   Désormais les prouesses de Guynemer sont innombrables.   De simple soldat Guynemer est nommé coup sur coup caporal, 5 sergent, sous-lieutenant, lieutenant, capitaine.   A vingt et un ans, il est chevalier de la Légion d'honneur.[2]   Il est décoré de la médaille militaire.   Le ruban de sa Croix de guerre est constellé de palmes et d'étoiles qui marquent autant de citations à l'ordre du jour.   Blessé plusieurs 10 fois et cinq fois descendu, toujours Guynemer remonte. Comme lui disait l'autre jour notre commandant:

« Un jour vous monterez si haut, Guynemer, qu'on ne vous verra pas redescendre.»

Laisse-moi te raconter un trait de son courage.   Un 15 jour, Guynemer pilote un officier observateur, au-dessus des lignes allemandes.   Il s'agit de photographier les positions ennemies.   On survole les lignes boches et, naturellement, le Boche a ouvert le feu sur l'avion français. Les obus éclatent et, ses photographies prises, le capitaine 20 demande à Guynemer de rentrer.   Guynemer, lui,[3] n'est pas pressé.   Il est le seul à qui le temps ne semble pas durer.   Cependant il faut obéir et virer de bord.   Alors, Guynemer a un mot [4] qui peint bien son courage et son amour du danger:

25   « Avant de rentrer, mon capitaine, voulez-vous me faire le plaisir de photographier ces obus qu'on nous tire ? »

Un autre trait pour achever de te peindre le sang-froid et le courage de ce gamin sublime.   Guynemer, dans 30 son secteur, est tout près de la maison paternelle, à

Compiègne. Quand il a fini sa chasse au Boche, il revient
volontiers passer quelques heures au foyer. Il a des si-
gnaux convenus pour annoncer aux siens sa venue et,
d'habitude, pour cela, il fait chanter son moteur. C'est
sa façon de frapper à la porte.   5

Un jour qu'il rentre plus tard que de coutume, sa sœur
l'interroge. Guynemer a l'air tout pensif et fatigué,
comme quelqu'un qui vient d'accomplir un effort surhumain. Quelque accident lui serait-il survenu ? Non,
aucun accident. Mais voici. On a beau être le roi de 10
l'air [1] et l'as des as, on n'en est pas moins homme et surtout un très jeune homme. Quelqu'un qui connaissait
bien les héros a soutenu qu'Hector [2] lui-même avait eu
peur, au moins une fois. On n'a jamais assez de sang-
froid dans les combats en plein ciel et c'est au sang-froid 15
que Guynemer s'entraîne.

Or, ce jour-là (Guynemer le confie à sa sœur) une ex-
cellente occasion s'est présentée à lui.

Un Boche qui survolait Guynemer l'a attaqué à coups
de mitrailleuse.[3] Au lieu d'éviter l'adversaire ou de ri- 20
poster, l'idée est venue à Guynemer, pour s'aguerrir,
de s'offrir aux coups de l'ennemi sans les rendre. Cela
a bien duré trois minutes, trois minutes de tension ner-
veuse que l'on peut deviner, pendant lesquelles Guynemer s'est offert au feu de l'ennemi sans répondre. 25
Guynemer est désormais maître de ses nerfs, comme il
l'est de sa machine, et il est redescendu simplement « *un
peu* fatigué ».

Voilà l'homme et le Français qui va à la bataille comme
au sport, avec une bonne humeur gauloise qui est la fleur 30
du courage. Aussi Guynemer est-il devenu, avec son
avion « le Vieux Charles », l'idole et la mascotte des poilus.

Quand il tombe du ciel, près d'une batterie ou d'une tranchée, tout le monde court vers lui. Les canons tonnent en son honneur. Les officiers lui donnent des galons de leurs képis. Guynemer est l'incarnation du courage
5 français. Je veux suivre son exemple.

Ton dévoué,

JOHN.

ÉPILOGUE

Mars, 1917—Juillet, 1918

XXXI. L'AMÉRIQUE CONTRE L'ALLEMAGNE

William à Henri.

Paris, le 30 mars, 1917.

Mon cher Henri,

Alors les Allemands sont en retraite[1] sur tout le front de Picardie. L'ennemi se retire en détruisant méthodiquement tout ce qu'il peut détruire. Il brûle les fermes; il souille les villes; il scie au ras du sol les arbres dans les vergers. Attila,[2] le fléau de Dieu, se vantait, lui aussi, 5 que « l'herbe ne poussait plus sous les pas de son cheval.»

L'Amérique a rompu les relations diplomatiques avec l'Allemagne. Il faut nous battre pour le droit des gens, pour la liberté sur terre et sur mer, et pour l'avenir de la démocratie dans le monde. Nous nous battrons donc. 10

Je vais quitter mon ambulance pour entrer dans une unité combattante. A bientôt, je l'espère, de vos nouvelles. Il me tarde beaucoup d'en recevoir et de bonnes.

Votre ami sincère,

WILLIAM.

XXXII. LE RETOUR A NEW–YORK

John à William.

New-York, le 8 avril, 1917.

Mon cher William,

C'est fait. Le Congrès des États-Unis, d'accord avec le président,[3] vient de voter la guerre contre l'Allemagne. 15

Dès que j'ai vu la guerre inévitable, j'ai demandé à rejoindre l'armée américaine. Depuis mon accident (une fameuse chute qui m'a tenu deux mois au lit) je n'ai pas revu le front. Mais cela va mieux et le docteur
5 m'assure qu'avec des soins je serai bientôt sur pied. Je pourrai donc combattre sous la bannière étoilée. Bravo!

La traversée s'est passée sans incident. Les sousmarins ne nous ont pas inquiétés. L'arrivée à New-York, par contre, a été des plus émouvantes. D'abord le port
10 de New-York était fermé. Des croiseurs montaient la garde à l'entrée. Les bateaux marchands avaient tous un canon à l'avant et à l'arrière.

Ce qu'il nous tardait de savoir, c'était la grande nouvelle de la déclaration de guerre. La télégraphie sans fil nous
15 avait renseignés assez vaguement à ce sujet, pendant la traversée. Mais nous comptions sur le pilote. Le voici justement. Tous les passagers sont sur le pont. Le bateau du pilote approche. Est-ce la paix? Est-ce la guerre?

Qui devinera le premier? Déjà des paris s'engagent.
20 Tout à coup, un passager qui regarde à la jumelle s'écrie: « Il y a un drapeau à l'avant de la barque! » Hurrah! L'Amérique est à côté des Alliés. Voici le pilote. « Eh bien! quelle nouvelle? — C'est fait. Nous y sommes! » Tu aurais dû voir la scène sur le pont du « Rochambeau »[1]
25 à ces mots. On a échangé, je t'assure, de vigoureuses et cordiales poignées de main.

Enfin nous arrivons à New-York. Je n'avais jamais vu autant de drapeaux. Tous les édifices sont pavoisés. Dommage que le Kaiser ne puisse faire un tour sur la
30 Cinquième Avenue. Nous allons gagner cette guerre.

Ton dévoué,

JOHN.

XXXIII. LE GÉNÉRAL JOFFRE
EN AMÉRIQUE

A West-Point

Henri à William.

Chicago, le 1 juin, 1917.

Mon cher William,

Je n'ai pas reçu de lettre de vous depuis longtemps, et la raison la voici, c'est que je suis en Amérique, dans votre grand pays. On s'est souvenu que j'avais été étudiant à Harvard et ingénieur dans le New-Jersey. J'accompagne ici la Mission française,[1] conduite par le 5 glorieux général Joffre, le vainqueur de la Marne. Quelle réception, quel beau pays! Comme l'Amérique fait grandiosement les choses!

Nous traversons votre pays en véritables triompha- teurs. Nous défilons dans les rues des grandes villes, 10 entourés par l'armée et la marine américaines. Le bleu et le khaki nous escortent. Le tricolore et la bannière étoilée flottent confondus. Cette fois on touche, pour ainsi dire du doigt, l'amitié de la France et de l'Amé- rique. Rien de pareil ne s'était vu depuis La Fayette et 15 Rochambeau.

L'autre jour, nous étions à West-Point, votre Saint- Cyr[2] américain. C'était le premier contact entre l'armée française et l'armée américaine. Tout le corps des cadets était sous les armes. Leur uniforme de parade, et surtout 20 leurs grands shakos, rappellent les uniformes de l'armée de Napoléon.

Le défilé a été impeccable. Le général est passé entre

les rangs et chaque cadet se grandissait de toute sa taille pour rendre honneur au grand Joffre. Maintenant, des camps vont s'établir, des officiers français vont venir instruire votre jeune armée. Je suis moi-même désigné
5 pour rester ici. Je voudrais bien vous y retrouver. Mais nous reparlerons de tout cela.

Avant de terminer ma lettre, j'ai une triste nouvelle à vous annoncer. Vous vous rappelez ce brave François, un camarade de 1914, dont je vous ai envoyé quelques
10 lettres. François vient d'être tué sur la Somme. Je l'aimais beaucoup pour sa bravoure et sa belle humeur. François veut dire Français et jamais personne n'avait mieux mérité son nom.

Écrivez bientôt.

HENRI.

XXXIV. LES AMÉRICAINS A CHÂTEAU–THIERRY [1]

Le rêve de William

William à Henry.

Château-Thierry, le 30 juillet, 1918.

Mon cher Henri,

Victoire! Nous les avons, comme disent nos poilus.
15 La jeune armée américaine, la A. E. F.[2] comme nous l'appelons, vient de faire ses preuves. Les Allemands ont voulu boire deux fois de l'eau de la Marne et la Marne leur a porté malheur. Ils sont en retraite comme en 1914. Moi, j'étais au Bois-Belleau, entre Meaux[3] et
20 Château-Thierry. La partie a été rude. Mais le corps

LE MARÉCHAL JOFFRE A WEST-POINT

auquel j'appartiens, l'infanterie de marine américaine, a
été fidèle à ses traditions.   «*Semper Fidelis!*» Nous
les avons fait sauver à la baïonnette.   Le Bois-Belleau
s'appellera un jour le Bois-des-Américains.

Sur toute la ligne, l'ennemi recule.   Il était à quarante
kilomètres de Paris et la capitale l'a échappée belle.
Mais Foch a changé tout cela et il peut compter sur l'oncle
Sam.   Comme l'a dit le général Pershing sur la tombe
de La Fayette, le jour du 14 juillet, 1917: « La Fayette,
nous voilà! » Nous les aurons.   Vive la France!

Pas plus tard qu'hier j'ai eu un rêve.   On ne rêve pas
souvent au front, mais une fois n'est pas coutume.[1]   Mon
rêve naturellement m'a transporté dans l'avenir.   C'est
le plus encourageant et le plus optimiste de tous les rêves.
J'ai vu le maréchal Foch sur un cheval blanc à la tête
des armées alliées et souriant à la jeune armée américaine.

En avant! Toute la ligne s'ébranlait.   A l'est, les
gros obus américains bombardaient les forts avancés de
Metz.[2]   Les Allemands ripostaient, mais nous les tour-
nions par l'Argonne.[3]   Sedan[4] qui faisait monter la
rougeur[5] aux joues des Français, depuis quarante-sept
ans, tombait aux mains de l'armée américaine et partout
l'ennemi reculait.   Les Allemands étaient successivement
repoussés sur la Marne, sur l'Aisne,[6] sur la Meuse, battus
par les Français devant Saint-Quentin,[7] par les Américains devant Metz, par les Anglais à Cambrai.[8]   Le rêve
impérial allemand s'écroulait.

Et cela finissait en apothéose.[9]   Abandonnée par les
Bulgares,[10] par les Turcs, par les Austro-Hongrois, l'Allemagne sombrait dans la défaite.   Aux accents de la Marseillaise l'armée française rentrait dans Strasbourg[11] et
dans Metz, sans tirer un coup de canon.   La France était

délivrée.　Les Anglais reprenaient Lille;[1] le roi Albert[2] entrait dans Bruxelles escorté du drapeau étoilé. A Paris l'enthousiasme tenait du délire.[3] Un cortège triomphal descendait de l'Arc-de-l'Étoile[4] et, sur la place de la Concorde,[5] entourée de canons allemands, après un demi-siècle, la statue de Strasbourg, vêtue de deuil jusque-là, recevait une couronne de lauriers d'or.

L'Allemagne a signé l'armistice.[6]　«Le jour de gloire est arrivé.»[7]　L'Allemagne abandonne toutes ses conquêtes. Sur l'ordre des Alliés, la flotte allemande de haute-mer et plus de cent sous-marins se rendent à la flotte anglaise. Quant au Rhin, le fameux Rhin allemand,[8] des régiments américains, anglais, belges, et français y montent dorénavant la garde.　Aix-la-Chapelle,[9] Mayence,[10] Coblence,[11] Cologne[12] sont entre les mains des Alliés.　Et le Kaiser?[13] me demandez-vous.　Je ne l'ai pas aperçu dans mon songe. Peut-être a-t-il donné sa démission.　Bravo! Voilà une tragédie qui finit on ne peut mieux.[14]

Tout à vous,

WILLIAM.

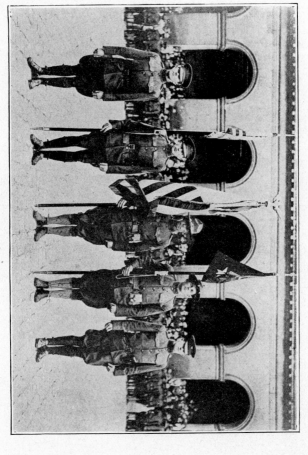

LES DRAPEAUX AMÉRICAINS

QUESTIONNAIRE

I. LA BATAILLE DE LA MARNE

1. Qu'est-ce que la bataille de la Marne? 2. Qui a remporté cette bataille? 3. Que lit-on au régiment ce jour-là? 4. Que savez-vous du général Joffre? 5. Qu'est-ce que le général rappelle à ses troupes? 6. Dans les circonstances actuelles, que devront faire les troupes françaises? 7. Qu'est-ce que le Chant du Départ?

II. LA BATAILLE DE LA MARNE (suite)

1. Qu'est-il arrivé à Henri? 2. Que faisait l'armée française depuis trois semaines? 3. Qu'est-ce que le soixante-quinze? 4. Que faisait le capitaine sur l'arbre? 5. Que voit-il? 6. Qu'entend Henri? 7. Qu'arrive-t-il tout à coup? 8. Qu'arrive-t-il au lieutenant d'Henri? 9. Que devient Henri?

III. A L'AMBULANCE

1. Où se trouve Henri? 2. Qui le soigne? 3. Pourquoi est-il heureux? 4. Que fait la dame américaine? 5. De quoi s'agit-il pour elle, à l'arrivée des Allemands? 6. Que devient la petite troupe? 7. Que faut-il faire quand les Allemands approchent? 8. Quelle idée vient à la dame tout à coup? 9. Que fait Pierre? 10. Qu'est-ce que les Allemands ont fait au château?

IV. LA PRISE DE VASSINCOURT

1. Qu'est-ce que c'était que Vassincourt? 2. Que voyait-on du haut de la colline? 3. De quoi s'agissait-il pour le régiment

de François? 4. Que voyait-il de la barricade à l'entrée du village? 5. A quoi François a-t-il assisté? 6. Qu'est-il arrivé au vieux clocher? 7. Quel était ce vieux colonel dans le conte d'Alphonse Daudet? 8. Décrivez le soir de la bataille. 9. Que firent les soldats français tout à coup? 10. Quel est le résultat de la bataille?

V. LES AUTOBUS PARISIENS A LA MARNE

1. Qu'est-ce que François a annoncé à Henri? 2. Qui est le général Maunoury? 3. Que firent les autobus ce soir-là? 4. Qui est von Kluck? 5. Quel était le plan de Maunoury? 6. Pourquoi les Allemands étaient-ils étonnés? 7. Que font les Allemands?

VI. LA VICTOIRE DE LA MARNE

1. Qui a gagné la bataille de la Marne? 2. Qu'est-ce que la Marne? 3. Quel jour la bataille de la Marne a-t-elle été gagnée? 4. Qu'est-ce que le général en chef avait demandé à la VIème armée? 5. Qu'a fait la VIème armée? 6. Comment le général en chef a-t-il été récompensé? 7. Qui est le général Franchet d'Esperey? 8. Qu'est-ce que Montmirail, Vauchamps, Champaubert? 9. Que devient l'ennemi? 10. Qu'est-ce qu'il reste à faire aux troupes françaises? 11. Qui est le général Foch? 12. Récitez son ordre du jour.

VII. UNE LETTRE D'AMÉRIQUE

1. Qui est William? 2. Que fait la France? 3. Qu'a fait la Marne? 4. Que se rappelle Henri? 5. Que font les jeunes gens d'aujourd'hui? 6. Qu'est-ce que la guerre actuelle? 7. Que font beaucoup des amis de William? 8. Qu'a fait Charles S . . .? 9. Quel parti a pris William?

VIII. HENRI EST DÉCORÉ

1. Qu'est-ce qu'Henri annonce à François ? 2. Qu'est-il arrivé à Henri ? 3. Où cela lui est-il arrivé ? 4. Qu'est-ce qu'il y a d'impressionnant dans une revue ? 5. Décrivez la revue. 6. Que fait le colonel ? Que fait la musique ? Que font les baïonnettes ? 7. Qu'est-ce que c'est que Sambre-et-Meuse ? 8. Qu'est-ce que c'est que le ruban jaune et le ruban rouge dont parle Henri ?

IX. DANS LES TRANCHÉES

1. Qui est Kitchener ? 2. Qu'est-ce qu'il a dit ? 3. Quelle est la devise de l'armée française ? 4. Qu'est-ce que Nieuport, Belfort, la mer du Nord, la Suisse ? 5. Que fait le régiment d'Henri ? 6. Que fait sa section ? 7. Décrivez la tranchée où se trouve Henri. 8. Qu'arrive-t-il parfois aux guetteurs dans la tranchée ? 9. Qu'est-il arrivé l'autre soir à Henri ? 10. Qu'est-ce que le périscope ? 11. Comment passe-t-on le temps dans la tranchée ? 12. Qu'est-ce que c'est que les crapouillots ? 13. Que fait la torpille ? 14. Décrivez le bombardement de la tranchée. 15. Que font les soldats ? Décrivez la scène.

X. LA MAISON DU PASSEUR

1. Qu'est-ce qu'un passeur ? 2. Qu'est-ce que l'Yser, Dixmude, Saint-Malo, Guingamp, Douarnenez ? 3. Qu'est-ce que la Toussaint ? 4. Que font les soldats ce soir-là ? 5. Qu'est-ce que la Bretagne ? 6. Qu'est-ce que le gabier a dit à Janic ? 7. Que fait Janic ? Qu'est-ce qu'il voit dans le brouillard ? 8. Qu'est-ce qu'il entend ? 9. Qu'est-ce qu'il y avait de l'autre côté de l'eau ? 10. Que faisait le passeur ? 11. Qu'arrive-t-il tout à coup ? 12. Que faisait l'ennemi ? 13. Qui est Saint Christophe ?

XI. AU CANTONNEMENT

1. Décrivez le village où Henri cantonne. 2. Que font les poilus au cantonnement? 3. Quelles sont leurs distractions? 4. Qu'arrive-t-il à l'aube et à midi? 5. Pourquoi cela est-il parfois plus émouvant? 6. Que fait le taube là-haut? 7. Parfois qu'arrive-t-il? 8. Que font les gens du village? 9. Que font les enfants? 10. A quoi jouent-ils? 11. Que portent-ils? 12. Racontez ce que les enfants faisaient à l'épicerie du village.

XII. L'ATTAQUE

1. Qu'est-ce qui est fini pour François? 2. Où est-il? 3. Qu'est-ce qu'on ignorait d'émouvant? 4. Où est allé François? 5. Quel ordre était venu? 6. Quel était l'objectif des troupes? 7. De quoi les soldats mouraient-ils d'envie? 8. Qu'avaient fait les avions? 9. Qu'arrive-t-il tout à coup? 10. Décrivez la scène. 11. Qu'arrive-t-il au sommet de la colline? 12. Que fait François? 13. Que font les Allemands? 14. Qu'arrive-t-il encore quand tout semblait fini? 15. Qui ramène-t-on sur le brancard? 16. L'attaque a-t-elle réussi?

XIII. WILLIAM AMBULANCIER

1. Quel parti a pris William? 2. Qu'est-ce que Liverpool? 3. Qu'arrive-t-il aux paquebots? 4. Où va William? 5. Pour quoi faire? 6. Que promet-il à Henri?

XIV. FRANÇAIS ET ALLEMANDS

1. Quel métier fait Henri? 2. Que faisait le poilu surpris par Henri? 3. Que désirait le Bavarois blessé? 4. Que fit un poilu français? 5. Que fit le blessé? 6. Quelle promesse le capitaine français avait-il faite à ses hommes? 7. Que font les poilus du capitaine? 8. Qu'arrive-t-il au retour de

la patrouille ? 9. Qui ramène-t-on au capitaine ? 10. Racontez l'histoire du poilu fossoyeur. 11. Qu'arrive-t-il au blessé français, le soir de la bataille ? 12. Que fait le Français avant de mourir ? 13. Pourquoi l'Allemand a-t-il peur ? 14. Que fait l'Allemand ? 15. Pourquoi a-t-il des remords ? 16. Que fait-il alors ? 17. Que découvre-t-il ? 18. Comment est-il mort ?

XV. FRANÇAIS ET ALLEMANDS (suite)

1. Quel est le bon côté de cette guerre ? 2. Qu'est-ce qu'elle apprend ? 3. Pourquoi est-il difficile de connaître les Français ? 4. Pourquoi n'y avait-il pas de place en première pour Henri ? 5. Qu'y avait-il pour lui en troisième ? 6. Qui voit-il à côté de lui ? 7. Que faisait le territorial ? 8. Qu'y avait-il sur la banquette à côté de lui ? 9. Que faisait le sac de temps à autre ? 10. Qu'est-ce qu'Henri demande au soldat ? 11. Que répond le soldat ? 12. Qu'est-ce qu'il y a dans le sac ? 13. Que fait un autre poilu dans le compartiment ? 14. Que sait-il ? 15. Qu'y avait-il en réalité dans le sac ? 16. Qu'arriva-t-il finalement ?

XVI. L'ATTAQUE DE CHAMPAGNE

1. Qu'est-ce que la Champagne ? 2. Qu'est-ce que c'est que l'offensive de Champagne ? 3. Qu'est-il arrivé à Henri ? 4. Où a-t-il été blessé ? 5. Quelle sensation a-t-il eue ? 6. D'où écrit-il à François ? 7. Où est Châlons ? 8. Combien a-t-on fait de prisonniers ? 9. Qu'est-ce qu'il y a à bord du train sanitaire ? 10. Que fait le lieutenant de dragons prussiens ? 11. Que dit un loustic ? 12. Qu'est-ce que Bordeaux ? 13. Que font les poilus en cours de route ? 14. Qu'est-ce qu'ils rapportent du champ de bataille ? 15. Racontez le voyage des blessés. 16. Qu'est-ce que la Touraine, Blois, Amboise, Chenonceaux, la Loire ? 17. Par quoi se distinguait le train sanitaire ?

XVII. EN ARTOIS

1. Qu'est-ce que c'est que l'Artois ? 2. Qu'est-ce que c'est que le Louvre, la rue de Rivoli, Ypres ? 3. Qu'arriva-t-il à Ypres ? 4. Que firent les Écossais ? 5. Qu'arriva-t-il en Artois ? 6. Qu'est-il arrivé à la mitrailleuse ? 7. Que fait l'officier anglais ? 8. Que lui est-il advenu ? 9. Qu'arriva-t-il un soir dans une tranchée anglaise ? 10. Que fait un soldat anglais ? 11. Pourquoi Tommy écrit-il à sa marraine de ne pas s'inquiéter de lui ? 12. Que portait Tommy ? 13. Que dit la chanson ?

XVIII. AU SERVICE DE LA FRANCE

1. Qui est Charles ? 2. Qu'est-ce que la Légion Étrangère ? 3. Pourquoi Charles s'est-il engagé dans la Légion Étrangère ? 4. Qui est La Fayette, Rochambeau ? 5. Qu'est-ce que les Américains vont chercher en France ? 6. Qu'est-ce que c'est que la Chanson de Roland, Montaigne, Corneille, Molière, Voltaire, Anatole France ? 7. Qui est Allan Seeger ? 8. Que veut-il que nous apprenions de la France ? 9. De quoi est composée la Légion Étrangère ? 10. Qu'est-ce qui atteste que la Légion est une troupe d'élite ? 11. Racontez brièvement l'histoire du caporal héroïque. 12. Que lui est-il arrivé ? 13. Que demande-t-il au major ? 14. Où est-il blessé ? 15. Que lui fait-on au poste de secours ? 16. Pourquoi refuse-t-il d'être évacué à l'ambulance ?

XIX. EN LORRAINE

1. Où est maintenant Henri ? 2. Qu'est-ce que Domremy ? 3. Qu'est-ce que la Lorraine ? 4. Que savez-vous de Jeanne d'Arc ? 5. Quand vivait Jeanne d'Arc ? 6. Qu'a-t-elle fait ? 7. Qu'est-ce que la Meuse, Neufchâteau, Vaucouleurs ? 8. Qu'est-ce qu'Henri voit de sa fenêtre ? 9. Décrivez la basilique de Domremy. 10. Qu'est-ce qu'Orléans, le Dauphin

de France, Chinon, Pathay, Compiègne, Rouen? 11. Où est
bâtie la basilique? 12. Qu'est-ce qui attire surtout Henri à
Domremy? 13. Quel lieu fréquente-t-il surtout? 14. Qu'y
a-t-il derrière le village? 15. Que font les poilus à Domremy?

XX. EN LORRAINE (suite)

1. Que fait-on dans les villages de Lorraine? 2. Comment
vit-on? 3. Qu'arriva-t-il l'autre jour? 4. Décrivez le défilé
de la division. 5. Qu'est-ce que la Marche Lorraine? 6. Que
font les jeunes soldats? 7. Comment va la vie dans les campagnes? 8. Que font les enfants? 9. Qu'y a-t-il dans
l'église du village? 10. Où habite Henri? 11. Que reste-
t-il dans la maison? 12. Comment la vie continue-t-elle?
13. Que font les hommes? 14. Que fait le poilu à son retour?
15. Racontez le départ du poilu.

XXI. VERDUN ET LES AMBULANCIERS
AMÉRICAINS

1. Qu'est-ce que Verdun? 2. Qu'est-il arrivé dans cette
ville? 3. Que fait William à Verdun? 4. Qu'est-ce que
Douaumont, Vaux, Fleury, Thavanne? Qu'est-il arrivé
dans ces endroits? 5. Pourquoi William monte-t-il à la
cathédrale de Verdun? 6. Qu'est-ce qu'un ballon captif?
7. Qu'est-ce que William a vu dans les rues de Verdun?
8. Qu'est-ce que le Grand Couronné? 9. Que rencontre un
jour William? 10. Décrivez ce que William voit une nuit.
11. Qu'est-ce que c'est que Malbrough et sa chanson? 12. Quel
est le rôle de William à Verdun? 13. Que font les Boches?
14. Qu'est-il arrivé à William sur la route de Fleury?

XXII. L'ESCADRILLE FRANCO–AMÉRICAINE

1. Qu'est-ce que Luxeuil, les Vosges, l'Alsace? 2. Qu'est-ce
que l'Escadrille Franco-Américaine? 3. Qu'est-ce que Pau,

les Pyrénées? 4. Que faisait John à Pau? 5. Qu'est-ce qu'un avion de chasse? Quel est son rôle? 6. Décrivez la bataille dans l'air. 7. Comment peut-on abattre l'adversaire? 8. Qu'est-ce que l'aviateur français aperçoit un jour? 9. Que lui reste-t-il à faire? 10. Que fait-il? 11. Quel est le danger pour l'aviateur? 12. Que faut-il qu'il fasse? 13. Que fait un jour un observateur? 14. Qu'arriva-t-il un jour à un camarade de John? 15. Qu'est-ce qu'un as?

XXIII. L'ATTAQUE DE VERDUN

1. Qu'est-il arrivé à Verdun? 2. Qu'avaient fait les Allemands? 3. Quel est le problème à résoudre pour William? 4. Que font les artilleurs boches? 5. Qu'est-il arrivé à William l'autre soir? 6. Qu'est-il arrivé aux roues de sa voiture? 7. Comment s'en est-il tiré? 8. Qu'arrive-t-il la nuit? 9. Qu'arriva-t-il l'autre jour à B...? 10. Qui était ce jeune sergent? 11. Comment allait-il partir de l'ambulance? 12. Que crie le Parisien? 13. Qu'arrive-t-il au départ? 14. Que fait le Parisien? 15. Qu'arrive-t-il alors? 16. Que se passe-t-il en arrivant à l'ambulance? 17. Qui a sauvé les blessés? 18. Comment ont-ils été sauvés? 19. Que devient le sergent? 20. Qu'a-t-il obtenu?

XXIV. LES COUREURS DE VERDUN

1. Qu'est-ce qu'un coureur? 2. Que font les poilus? 3. A quoi servent les coureurs? 4. Comment les choisit-on? 5. Quel est le proverbe que les Allemands font mentir? 6. Que risque-t-on au front? 7. Qu'est-ce que c'est qu'un « bleu »? 8. Pourquoi se trompe-t-il? 9. Qu'est-ce que les Hauts-de-Meuse? 10. Que font les Allemands? 11. Que dit l'officier boche à ses hommes? 12. Cependant qu'arrive-t-il? 13. De quoi ont peur les Allemands? 14. Qu'arrive-t-il encore? 15. Que fait le premier coureur? 16. Finalement que devient-il?

XXV. LA DÉFENSE DE VERDUN

1. Qu'est devenu Henri ? 2. Où va-t-il ? 3. Pourquoi la bataille est-elle étrange ? 4. Qu'est-ce que c'est que la « clique » ? 5. Quel moyen le colonel a-t-il trouvé pour réveiller les poilus ? 6. Ce matin-là que se passe-t-il ? 7. Que fait le tambour ? 8. Que fit un poilu dans la neige ? Expliquez sa réflexion. 9. Qui était Guillaume ? 10. Que fait-il pour ne pas être pris ? 11. Que fait l'ennemi ? 12. Que sent Guillaume ? 13. Comment est-il sauvé ? 14. Qu'est-ce qu'il n'oubliera pas ? 15. Qui est le colonel Driant ? 16. Qu'est-ce que c'est qu'un « député » ? 17. Que fit le colonel Driant ? 18. Qu'est-ce que c'est que les chasseurs ? 19. Qu'arriva-t-il à un sergent du régiment d'Henri ? 20. Que lui firent les Allemands ? 21. Que leur dit le sergent ? 22. Comment fait-il les Allemands prisonniers ? 23. Qui est Molière ?

XXVI. L'OFFENSIVE DE LA SOMME

1. Qu'est-ce que la Somme ? 2. Quand a eu lieu l'offensive de la Somme ? 3. Qui a livré cette offensive et pourquoi ? 4. Qu'est-ce que c'est qu'un tank ? 5. Qu'est-ce qu'un pachyderme ? 6. Pourquoi Crème-de-Menthe est-elle comparée à un pachyderme ? 7. Que firent les Boches en voyant les tanks ? 8. A quoi servent les tanks ? 9. En quoi consiste leur mécanisme ? 10. Que fit Crème-de-Menthe ? 11. Que font les Allemands ? 12. Comment Crème-de-Menthe se défend-elle ? 13. Que font les canonniers anglais ? 14. Malheureusement qu'arrive-t-il ? 15. Que fait l'équipage ? 16. Pourquoi Crème-de-Menthe est-elle sauvée ?

XXVII. LA MORT HÉROÏQUE D'ALLAN SEEGER

1. Qui est Allan Seeger ? 2. Qu'est-ce que Belloy-en-Santerre ? 3. Comment commence la bataille ? 4. Que fait l'ennemi ? 5. Que faut-il que la Légion fasse ? 6. Qu'arrive-

t-il ? 7. Comment avance-t-on vers le village ? 8. Malheureusement qu'y avait-il sur la droite ? 9. Alors que se passa-t-il ? 10. Que firent les blessés ? 11. Tout à coup qu'arriva-t-il ? 12. Que devient Seeger ? 13. Récitez par cœur son poème et son épitaphe.

XXVIII. LE FRANÇAIS TEL QU'ON LE PARLE AU FRONT ANGLAIS

1. Pourquoi Tommy Atkins semble-t-il étrange aux Français ? 2. Quelles sont ses qualités ? 3. Que fait Tommy chez les bons Français ? 4. Que fait-il quand il s'ennuie ? 5. Quels sont les deux mots de français qu'il sait le mieux ? Pourquoi ? 6. Qu'aperçoit-il au milieu de la rue du village ? 7. Que fait la vache ? 8. Que fait Tommy ? 9. Pourquoi Tommy est-il radieux ? 10. Que pense la fermière ? 11. Que fait-elle ? 12. Qu'est-ce que Tommy a reçu pour sa récompense ?

XXIX. LA REPRISE DU FORT DE DOUAUMONT

1. Comment Verdun a-t-il été sauvé ? 2. Qu'était-il arrivé en mars, 1916 ? 3. Qu'arrive-t-il le 24 octobre de la même année ? 4. Comment le régiment de François prendra-t-il le fort ? 5. Qu'arrive-t-il vers 11 heures ? 6. Comment les choses se passent-elles ? 7. Qu'ont fait les Allemands ? 8. Que voit tout à coup Henri ? 9. Que deviennent les Allemands ? 10. Racontez leur surprise. 11. Qu'est-ce que faisait le vaguemestre ? 12. Que devint le courrier des Boches ? 13. Que firent les Allemands ? 14. Qui est le général Nivelle ? 15. Que dit-il à ses soldats ? 16. Apprenez par cœur et récitez son ordre du jour. 17. Qu'est-ce que le fort de Vaux ?

XXX. UN HÉROS DE L'AIR

1. Quelle est l'ambition de John ? 2. Pourquoi Guynemer est-il appelé un as ? 3. Quelle était la passion de Guynemer ?

4. Qui étaient Pégoud, Blériot, Védrines ? 5. Qu'a fait Blériot ? 6. Qu'a inventé Pégoud ? 7. Que veut Guynemer ? 8. Que dit-on à Guynemer quand il veut s'engager ? 9. Que dit-il au capitaine ? 10. Comment connaît-il son aéroplane ? 11. Que devient Guynemer ? 12. Racontez l'aventure de Guynemer avec le capitaine observateur. 13. Que fait Guynemer à Compiègne ? 14. Que raconte un jour Guynemer à sa sœur ? 15. Pourquoi Guynemer n'a-t-il pas répondu au Boche qui l'attaquait ? 16. Que se passe-t-il au front quand Guynemer descend ?

XXXI. L'AMÉRIQUE CONTRE L'ALLEMAGNE

1. Que font les Allemands en mars, 1917 ? 2. Que font-ils aux arbres dans les vergers ? 3. Qui était Attila ? 4. De quoi se vantait-il ? 5. Qu'est-ce que l'Amérique a fait en avril, 1917 ? 6. Pourquoi a-t-elle déclaré la guerre à l'Allemagne ? 7. Que va faire William ?

XXXII. LE RETOUR A NEW–YORK

1. Pourquoi John revient-il en Amérique ? 2. Que lui est-il arrivé ? 3. Qu'espère-t-il maintenant ? 4. Comment la traversée s'est-elle passée ? 5. Qu'y avait-il à l'entrée du port de New-York ? 6. Racontez l'arrivée du pilote. 7. Quelle grande nouvelle apporte-t-il ? 8. Que font les passagers ? 9. Qu'est-ce que le « Rochambeau » ? 10. Que se passe-t-il sur le pont du bateau ? 11. Que remarque John en arrivant à New-York ?

XXXIII. LE GÉNÉRAL JOFFRE EN AMÉRIQUE

1. Pourquoi Henri est-il venu en Amérique ? 2. Qu'est-ce que c'est que la Mission française ? 3. Pourquoi le maréchal Joffre est-il venu en Amérique ? 4. Comment l'a-t-on reçu ? 5. Racontez la visite du général Joffre à West-Point. 6. Qu'a

fait le maréchal Joffre ?   7.   Que faisaient les cadets ?   8.   Pourquoi Henri va-t-il rester en Amérique ?   9.   Qu'est devenu
François ?

XXXIV. LES AMÉRICAINS A CHÂTEAU-THIERRY

1. Qu'est-ce que Château-Thierry ?   2.   Quel est le grand
homme qui est né dans cette ville ?   3.   Qu'est-il arrivé à
Château-Thierry ?   4.   Que sont devenus les Allemands ?
5. Qu'est-ce que le Bois-Belleau ?   6.   Quels sont les soldats
américains qui se sont rendus célèbres au Bois-Belleau ?
7. Que fait l'ennemi ?   8.   Qu'est-il arrivé sur la tombe de La
Fayette ?   9.   Qu'est-ce que le 14 juillet ?   10.   Qu'est-ce que
William a vu dans son rêve ?   11.   Que devenait Sedan ?
12. Que devenait l'ennemi ?   13.   Qu'est-ce que l'Argonne ?
14. Comment cela finissait-il ?   Que faisait l'armée française ?
15. Qu'est-ce que Strasbourg ?   16.   Qu'est-ce que Lille ?
17. Que fait le roi Albert ?   18.   Qu'arrive-t-il à Paris ?
19. Qu'est-ce que la statue de Strasbourg ?   20.   Où se
trouve-t-elle ?   21.   Pourquoi était-elle en deuil ?   22.   Depuis quand ?   23.   Que fait alors l'Allemagne ?   24.   Que
devient la flotte allemande ?   25.   Qu'est-ce que le Rhin ?
26. Qu'est devenu le Kaiser allemand ?

NOTES

Page 1. — 1. **La bataille de la Marne,** the battle of September 6–10, 1914, which stopped the German advance on Paris. A French army advancing from Paris against the German right flank on the Ourcq river forced the German armies to make a general retreat northward to the lines on the Aisne river. Generals Joffre, Foch, Galliéni and Maunoury must be honored, among others, for that clever and decisive move. The Marne is a river flowing from east to northwest, joining the Seine a little above Paris. It gives its name to several French departments.

2. **La Champagne,** the province of Champagne, with its capital Troyes, extends from the Aisne river in the north to south of the Marne, and eastward to the Meuse. It includes the departments of Aube, Haute-Marne, Marne and Ardennes. The cathedral city of Rheims is comprised within its limits. Champagne is famous for its wines.

3. **Joffre,** Césaire-Joseph-Jacques Joffre, born January 12, 1852, the victor of the Marne. After a brilliant career as a French military engineer, Joffre was made chief of staff of the French armies, a position which he held at the beginning of the war. His famous *ordre du jour* marked the turning of the tide and the beginning of the German defeat. The former German Kronprinz is quoted as saying that the war was lost for Germany at the Marne.

4. **le Chant du départ,** a patriotic song of the French revolution. It was composed in 1794 by Marie-Joseph Chénier, with music by Méhul.

Page 4. — 1. **les soldats de 1792,** the volunteer soldiers of the French revolutionary wars who enlisted to defend France against the coalition of European monarchs.

2. **ambulance 4–62,** Field Hospital No. 4, 62d division.

3. **les soixante-quinze,** the famous French field gun of 75 millimeters (3 inches). Its inventors were two French artillery officers. Adopted by the American army in France, it helped win the war.

Page 5. — 1. **Par pièce. Un coup à la minute,** *each gun, a shot a minute.*

2. **3000! 2500! 2000 mètres!** The French captain is indicating the range in proportion as the Germans are advancing or retreating.

Page 6. — 1. **Franzose! Bon Franzose! Camarade Franzose!** *Frenchman! Good Frenchman! French comrade!*

Page 7. — 1. **toits à poivrières,** *roofs with pointed turrets,* like some old-fashioned pepper-boxes of the same shape.

2. **Salon, à Paris,** an exhibition of painting and sculpture held twice a year in Paris.

Page 8. — 1. **il n'y a que la foi qui sauve,** *there is nothing like keeping up one's hopes,* or *by faith we are saved.*

Page 9. — 1. **Messieurs les Allemands,** *those German gentlemen.*

Page 10. — 1. **Vassincourt,** a village in Lorraine, near Bar-le-Duc, in a very important strategic position, carried by the French after fierce fighting in September, 1914.

Page 11. — 1. **les vitriers,** a nickname for the French chasseurs, as mentioned in their marching song:

> Encore un carreau d' cassé,
> V'là les vitriers qui passent,
> Encore un carreau d' cassé,
> V'là les vitriers passés.
> NOTE. — Read *de* for *d'* and *voilà* for *v'là.*

2. **de ma vie je n'oublierai,** *pas* is omitted here because *de ma vie* equals *jamais* (negative).

3. **il est tombé tout de son haut,** *it fell its full length.*

4. **le vieux colonel de Daudet,** in Daudet's story *Le Siège de Berlin.* The old colonel falls dead on his balcony when he sees the Germans (whom he mistook for the French) entering Paris in 1871.

Page 12. — 1. **Ce n'est pas bien à toi,** *it is not good of you,* or *you did not play the game.*

2. **nous étions là à regarder,** *we were there watching.*

3. **Le piano de la Marne,** an authentic episode of the battle of the Marne. French artists have complied with François' wishes and painted the scene.

4. **le Musée de l'Armée,** a historical gallery in the Hôtel des Invalides in Paris, containing a unique collection of arms and engines of war.

5. **citée à l'ordre du jour de la division,** *mentioned in the orders of the division,* a high reward for bravery. There are also mentions in orders for regiments, brigades, army corps and armies.

6. **Quitte pour la peur,** *I got off with a good fright.*

7. **la médaille militaire,** a decoration for bravery worn on a yellow and green ribbon.

Page 13. — 1. **Les autobus parisiens;** in the night of September 7, 1914, in order rapidly to outflank the German right wing, General Galliéni, then military governor of Paris, requisitioned 1100 Parisian motorbuses to take his soldiers to the front. The taxis made the journey twice during the night and effected a quick concentration of the troops.

2. **Clichy-Odéon, Madeleine-Bastille, Batignolles-Montparnasse,** all well known quarters of Paris, the names of which François used to see inscribed on the buses.

3. **von Kluck,** one of the German generals defeated at the Marne. He commanded the German army on the left of the French.

4. **ce fameux général romain,** an allusion to the "I came, I saw, I conquered" of Julius Caesar.

Page 14. — 1. **Aux autobus . . . la Patrie reconnaissante.** François remembers the famous inscription on the walls of the Panthéon in Paris: *«Aux grands hommes la Patrie reconnaissante.»*

Page 15. — 1. **Franchet d'Esperey** commanded an army on the Marne. In October, 1918, he led the victorious advance of the Salonica army against the Bulgars.

2. **Montmirail, Vauchamps, Champaubert,** localities east of

Paris.   There, in 1814, Napoleon made a last stand against the
invading armies of the European coalition.

3. **Blücher,** the German general who, by his sudden approach,
helped Wellington to win the day at Waterloo (June 18, 1815).

Page 16. — 1. **Foch** (pronounce *Fosh* [fɔʃ]), the well-known
general, afterwards Marshal of France and Commander-in-Chief
of the Allied armies.   At the first battle of the Marne,
General Foch commanded the French center.   At a critical
moment, calling to his help the 42d French division, he finally
succeeded in pushing back the Germans.

2. **Sedan,** on the Meuse river, in the department of the Ardennes.   Napoleon the Third surrendered there with 100,000
soldiers, September 1, 1870.   In October, 1918, the Americans
advanced on Sedan, threatening the retreating German armies,
just before the armistice of November 11, which ended the war.

Page 18. — 1. **le front de bandière,** *the front of the brigade*
in battle formation.

2. **le grand chef,** *the chief,* the French general who is going to
decorate the men.

3. **l'accolade,** when a French soldier receives a medal, the
presiding officer kisses him on both cheeks.

4. **Sambre-et-Meuse,** two rivers in northern France, on the
Belgian border.   The battles of Mons and Charleroi in August,
1914, were fought on those rivers.   Here the name of a French
military anthem dating from the revolutionary war of 1792.

5. **un bout de ruban jaune et vert,** the ribbon of the *médaille
militaire.*   See Vocab.

6. **le ruban rouge,** the Legion of Honor, another decoration
for bravery.

Page 19. — 1. **Voici une éternité que je n'ai eu de vos nouvelles,** *I have not heard from you for ages.*

2. **Kitchener,** the British field-marshal who raised the armies
of Great Britain against the German Kaiser.   Lord Kitchener
was lost at sea on the cruiser " Hampshire " in June, 1916,
while on his way to Russia.

3. **Long, dur, sûr,** a slogan of the war meaning, *it may be
long and hard, but victory is beyond doubt.*

4. **Nieuport,** a Belgian town on the North Sea. It marked, for four years, the farthest end of the trench line in Flanders.

5. **Belfort** (pronounced *Béfort* [befɔ:r]), a town in Alsace, and the only part of that province left to France from 1871 to 1918. Belfort made itself famous for its resistance against the Prussians in 1870. A monument, called the " Lion of Belfort," was erected to commemorate that event.

6. **un emplacement d'une centaine de mètres environ,** *a position covering about 100 meters (300 feet).*

Page 20. — 1. **bourguignotte,** the French war helmet. The name comes from·a helmet of similar shape worn in the Middle Ages by the soldiers of the Duke of Burgundy (*Bourgogne;* adj. *bourguignon*).

Page 21. — 1. **crapouillots,** a name for some trench mortars, on account of their similarity in shape to a squatting toad (*crapaud*). The same term was also applied to the bombs thrown by those mortars.

2. **les savants manèges,** *the skilful moves* (of the poilus running to avoid the air torpedoes).

Page 22. — 1. **Du sang-froid et surtout de l'ensemble dans les mouvements,** *be cool-headed and especially be sure to move together in the same direction.*

2. **Les hommes, avec un ensemble touchant,** *the men in pathetic accord.*

3. **La Maison du Passeur,** a position on the Yser river near Dixmude, in Flanders. Much fighting took place there, in the autumn and ·winter of 1914, between the Germans and the French naval brigade made up for the most part of French Bretons.

4. **Dixmude,** a Belgian city in Flanders, on the Yser river. Much contested between Germans, French and Belgians, it marked the farthest advance of the invaders in Belgium.

5. **la Toussaint,** *All Saints' day* and the eve of the feast of the dead (November 2).

6. **Saint-Malo, Guingamp, Douarnenez,** cities in Brittany.

Page 23. — 1. **Sainte Anne d'Auray,** the patron saint of the Bretons and the object of a famous pilgrimage.

2. **la vérité vraie,** *the naked truth.*

3. **Roscoff,** a fishing town on the coast of Brittany.

4. **Janic, qu'il me dit,** *Janic, says he,* for *me dit-il. Janic* is a Breton form of *Jean.*

Page 24. — 1. **près la Maison,** for *près de la maison.*

2. **la Marie-Louise,** the name of a boat.

3. **bourdon,** a big bell, derived from *bourdon* (bumblebee) because of the similarity of sound.

4. **de tous mes yeux,** *with eyes wide open.*

5. **des choses qui vous passent,** *things much beyond you.*

6. **Onze heures qui sonnent,** *it is striking eleven.*

7. **Le ciel, la mer ... ont beau,** translate as if it were *quoique le ciel, la mer ... soient.*

8. **il y a des nuances ...,** *there are some shades of color which cannot deceive the eye of a ship's boy.*

Page 25. — 1. **le Parisien a beau faire l'entendu,** *however knowing the Parisian may pretend to be.*

2. **Cela faisait de l'ombre sur de l'ombre,** *it formed a shadow through the dark.*

3. **Et même qu'en écoutant bien,** do not translate *que.*

4. **que je me dis,** for *me dis-je.*

Page 26. — 1. **j'allais ... crâner d'un bon mot,** *I was going to hide my emotions by cracking a joke. Crâner* is derived from *crâne* taken figuratively to designate a courageous, hard-headed person.

2. **les âmes du purgatoire à Kerdic,** *Kerdic's souls of the departed.*

3. **bel et bien,** *true enough, in reality.*

4. **Mais allez donc ...,** *but how do you expect ...*

Page 27. — 1. **Quimper,** a town in Brittany.

2. **Saint-Christophe;** according to the legend, Christopher (called also Christophorus, i.e., the man who carries Christ) was a giant who wanted to serve the mightiest king on earth. He was told that Christ was that king, and in order to serve him, Christopher built a hut near a river and ferried people across. One night a child was taken across, but the more Christopher advanced, the heavier the child became. Once on the

opposite bank, that child revealed himself as Christ and promised Christopher an eternal reward.

· 3. **N'étaient,** for *si ce n'étaient.*

Page 28. — 1. **l'angélus,** the call to prayer rung three times a day.

2. **Une chasse comme une autre,** *a chase like any other.*

Page 29. — 1. **Cela c'est le petit jeu,** *that is a mere amusement.*

2. **A peine a-t-il tourné les talons que,** *que* here equals *quand.* Notice the inversion of *il* after *à peine.*

3. **les écoliers de Reims.** During the war the children of Rheims had to attend school in the cellars of the city. Some were killed and several wounded.

Page 31. — 1. **j'y suis allé par-dessus le parapet,** do not translate *y.*

2. **Baïonnette au canon!** *fix bayonets!* See *canon* in Vocab.

Page 32. — 1. **Et voilà des mains qui se lèvent,** do not translate *voilà . . . qui.*

2. **des têtes à calot gris,** *gray-capped heads.*

Page 33. — 1. **il m'a été donné de voir la guerre,** *it has been my privilege to see the war.*

2. **quelqu'un de décidé,** do not translate *de.*

3. **pour en finir,** *to see it through.*

4. **la main du blessé, laquelle pend,** translate *laquelle* as *qui.*

Page 34. — 1. **la croix de bois,** *the wooden cross* (on soldiers' graves).

2. **Liverpool,** British port on the river Mersey.

3. **à la guerre comme à la guerre,** a familiar French proverb meaning, *let us take war as it is and make the best of it.*

Page 35. — 1. **ce poilu que je surprends à donner,** *that poilu whom I caught giving.* Notice the historical present indicative and the use of preposition *à* before the infinitive, a construction peculiar to verbs of surprise, *prendre, surprendre, attraper* and a few others, the better to emphasize the action denoted by the infinitive.

Page 37. — 1. **Nos poilus n'ont pas froid aux yeux,** *our poilus are wide-awake.*

2. **de conclure,** historical infinitive, translate as past definite.

Page 38. — 1. **Il veut en avoir le cœur net,** *he wants the matter made clear.*

2. **expansif et tout en paroles,** *who talks much and feels little.*

Page 39. — 1. **une bonne figure de territorial,** *a good-natured looking territorial.*

2. **pépère,** a diminutive for *père* (familiar). Translate *old man.*

3. **Ce sac finissait par m'intriguer,** translate *à la fin ce sac m'intriguait.*

Page 40. — 1. **parler obus,** *to talk shells.* Compare *parler affaires* and the English "to talk shop." *Parler* is regularly followed by *de.*

2. **d'un air entendu,** *with the air of one who knows.*

3. **les 150, les 220, les 400,** shells of 150, 220, 400 millimeters (about 6, 9, and 16 inches).

4. **d'acquiescer,** historical infinitive. See page 37, note 2.

5. **expert en obus,** *shell expert.*

Page 41. — 1. **qui brillent de tout leur éclat,** *shining with all their luster.* A great many soldiers, during the war, took to making souvenirs out of shells or shell cases. The poilu in this story is one of them.

2. **de taper,** historical infinitive. See page 37, note 2.

3. **L'attaque de Champagne;** on the 25th of September, 1915, the French launched a big attack east of Rheims and captured 25,000 Germans with much booty.

Page 42. — 1. **Il n'a pas dû s'écouler plus de trois minutes,** *three minutes cannot have elapsed.*

2. **Châlons,** here Châlons-sur-Marne, a city in the department of the Marne, near the big army camp of the same name. Attila, chief of the Huns, was defeated with his hordes near Châlons in 451 A.D.

3. **qui ont du cran,** *who have nerve, who are game.*

4. **Il y en a plusieurs ... de grièvement touchés,** for similar use of *de* see page 33, note 2.

Page 43. — 1. **Il faut profiter de l'occasion,** *we must seize the opportunity.*

2. **qui avait fait Charleroi,** *who had been at Charleroi.* The battle of Charleroi was lost by the English and French in August, 1914. It marked the beginning of the great retreat of the Allies in France, just before the victory of the Marne.

3. **aux frais de la Princesse,** *at the expense of the French Republic.*

Page 44. — 1. **la Loire et ... ses châteaux.** The most famous of the French châteaux on the Loire are mentioned here. They were erected or rebuilt during the sixteenth century in the style of the Italian renaissance.

2. **Blois,** a town in the department of Loir-et-Cher, famous for its castle.

3. **Amboise,** a château town on the Loire, in the department of Indre-et-Loire.

4. **Chenonceaux,** another château on the Loire.

5. **le ciel bleu-de-roi,** *the light-blue sky.* Blue was the favorite color of the kings of France.

6. **fleurdelisé de jolis nuages,** *decorated* or *flowered with clouds as pretty and white as the royal lilies.*

Page 45. — 1. **François est à l'honneur et à la peine,** *François is where one gets hardship and honor* (i.e., *on the field of battle*).

2. **Louvre,** the palace of the Louvre in Paris. It was built and enlarged by generations of French monarchs from the Middle Ages to the present time.

3. **rue de Rivoli,** one of the finest streets of Paris, on which the Louvre stands. Rivoli, a city of northern Italy, was the scene of one of Napoleon's victories over the Austrians in 1797.

4. **Baedeker,** a German guidebook for tourists.

5. **Ypres,** a Belgian city in Flanders. Ypres was the scene of fierce fighting in November, 1914, and again in April, 1915. The Cloth Hall, one of its finest monuments, was almost entirely destroyed by bombardment. British, Scotch and Canadian regiments made a heroic defense at Ypres.

Pages 46. — 1. **les Jack Johnsons,** a name given by the British soldiers to some of the biggest German shells.

2. **les pompons rouges,** here the Highlanders with the red tuft or pompon on their caps.

Page 47. — 1. **en Artois,** a province of northern France with Arras for its capital. Much fighting took place around it. In May, 1915, the British launched an offensive in Artois.

2. **l'officier anglais a rempli, à la lettre, son rôle de trépied vivant,** *the English officer literally played his part of a living machine-gun tripod.*

Page 48. — 1. **le bombardement reprend de plus belle,** *the bombardment is renewed with greater intensity than ever.*

2. **un soldat anglais n'y tient plus,** *a British soldier can no longer stand it.*

3. **sous un feu d'enfer,** *under a hellish storm of bullets.*

Page 49. — 1. **La Légion Étrangère,** a French brigade composed of foreign volunteers. A great many Americans enlisted in the Legion during the war.

2. **l'attaque de Champagne:** see page 41, note 3.

Page 50. — 1. **Souain, Navarin,** two important positions stormed by the Legion during the Champagne offensive of September, 1915.

2. **La Fayette, Rochambeau;** Marie-Joseph, marquis de La Fayette (1750–1834), Jean-Baptiste-Donatien, comte de Rochambeau, Marshal of France (1750–1807), two well-known generals who led the French contingents to America during the War of Independence.

3. **la Chanson de Roland,** a French epic of the eleventh century.

4. **Montaigne,** Michel de (1533–1592), author of the *Essays.*

5. **Corneille,** Pierre (1606–1684), the founder of French classical tragedy and author of *le Cid* (1636).

6. **Molière;** Jean-Baptiste Poquelin, better known by his professional name of Molière (1622–1673), a famous comic actor and playwright.

7. **Voltaire,** François Arouet de, French philosopher, historian and poet (1694–1778).

8. **Anatole France,** whose true name is Anatole Thibaud, born at Paris in 1844, the author of many delightful novels, among which are *le Crime de Sylvestre Bonnard, le Livre de mon ami, Pierre Nozière,* etc.

9. **Allan Seeger;** see page 77, note 2.

Page 51. — 1. **Mon régiment a déjà fait parler de lui,** *my regiment has already been talked about.*

2. **la fourragère,** a badge of honor. It is a shoulder strap, green and red, and sometimes red (like the ribbon of the Legion of Honor). It was granted to certain regiments for conspicuous and collective bravery.

3. **Encore fallait-il voir,** for *il fallait voir.*

Page 52. — 1. **puisque vous y êtes,** *since you are at it.*

2. **Encore on lui propose;** compare for construction with *encore fallait-il voir*, page 51, note 3. Note the different meanings of *encore* which explain the difference in construction.

Page 55. — 1. **Domremy,** a village in the Meuse valley near Neufchâteau (Vosges). There Joan of Arc was born in 1412.

2. **Lorraine,** the French province wrested from France by Germany in 1871. It was united to France in 1766 and was reconquered in 1918.

3. **la Meuse,** a river which gives its name to a French department. The Meuse, along a course of some 500 miles, flows through northern France, Belgium and Holland. At Verdun, Sedan, Liège, Namur and also during the American advance in the autumn of 1918 much fighting took place on its banks.

4. **Vaucouleurs,** a town near Domremy. The governor of Vaucouleurs sent Joan of Arc on her mission to Charles VII, then dauphin of France, at Chinon.

5. **Chinon,** a town in Touraine, on the river Vienne, with a castle, at one time the residence of Charles VII whom Joan of Arc met in that city in 1429.

6. **Pathay;** there, in 1429, Joan of Arc defeated the English who were besieging the city of Orléans.

7. **Compiègne,** a town in the department of Oise with a palace where the President of the French Republic sometimes resides. Fighting took place several times near Compiègne during the war, especially in the summer of 1918. It was the scene of the first meeting between Marshal Foch and the German armistice delegates in November, 1918. At Compiègne Joan of Arc, betrayed by her own people, was caught by the soldiers of the duke of Burgundy and sold to the English. Joan was burned at the stake in Rouen on May 30, 1431.

Page 57. — 1. **la Marche Lorraine,** a French military anthem.

Page 58. — 1. **la vie est la vie,** *such is life.*

Page 59. — 1. **les enfants sont sages comme des images,** *the children are as good as angels.*

Page 60. — 1. **Verdun,** the famous city on the Meuse. In the last days of February, 1916, the Germans launched a powerful attack on the fortress. After many critical turns, and though the Germans had already taken two of the most important forts, namely Douaumont and Vaux, the French army under Pétain succeeded in holding its own and in finally throwing back the enemy. Douaumont was recaptured in October, 1916, and Vaux in November of the same year. Meanwhile the French and the British had begun a victorious offensive on the Somme in the first days of July.

2. **les Hauts-de-Meuse,** *the heights of Meuse,* a range of hills along the Meuse river.

3. **Fleury, Thavanne,** two other forts of Verdun near Douaumont, northeast of the city.

4. **le général S . . .,** probably General Sarrail, military governor of Verdun in 1914–1915. General Sarrail contributed to the Marne victory by his stand at Verdun in September, 1914. Later on he commanded for some time the Allied armies in Macedonia.

5. **le Grand Couronné,** a crown or circle of hills around Nancy in Lorraine. There the Germans were brought to a standstill in September, 1914.

Page 61. — 1. **je n'ai pas manqué . . . à la française,** *I did not fail to make my finest French salute.*

2. **barbes d'anachorètes,** *beards as long as those of hermits.*

3. **la chanson de Malbrough,** an old French song on the duke of Marlborough (1650–1722). The duke led the British forces in France against Louis XIV. The song reads:

> Malbrough s'en va-t-en guerre . . .
> Qui sait quand reviendra . . . ?

4. **notre activité n'a rien eu d'anormal,** *we have not been any more active than usually.*

Page 62. — 1. **Luxeuil-les-Bains,** a watering-place in the department of Haute-Saône and, during the war, a training camp for aviators.

2. **l'Escadrille Franco-Américaine,** an aviation squadron like the famous "La Fayette Squadron," with several Americans in its ranks.

3. **Le pays est tout en hauts plateaux,** *the whole country is made of high plateaux.*

4. **Pau,** the birthplace of Henry the Fourth, king of France and of Navarre (1553-1610). It is beautifully located in sight of the Pyrenees mountains. Pau was, during the war, a training camp for aviators.

Page 63. — 1. **A-t-on décidé;** translate *si l'on a décidé.*

2. **On part à quinze ou à vingt,** *fifteen or twenty of us will fly.*

3. **L'ennemi ne se fait pas attendre,** *the enemy does not keep us waiting.*

Page 64. — 1. **doit se doubler aussi d'un acrobate,** *must be also an acrobat.*

2. **Il faut avoir la liberté complète de ses mouvements,** *he must have all the elbow room necessary.*

Page 65. — 1. **Le Kronprinz attaque Verdun;** see page 60, note 1.

Page 66. — 1. **j'ai bien cru que j'y passais,** *I felt very certain that it was all up with me.*

2. **Un éclat m'arrête net,** *a shell splinter brings me to a dead stop.*

3. **J'ai passé là un fameux quart d'heure,** *I had quite a lively time there.*

Page 67. — 1. **Le métier n'est pas rose,** *the work is none too attractive.*

2. **Fais ce que dois, advienne que pourra,** *do your duty and don't worry about the consequences.*

3. **c'est à qui des blessés trouvera,** *the wounded vie with each other to find . . .*

4. **Dix minutes d'arrêt, buffet !** *A ten minute stop for refreshments!* A familiar announcement to travelers at important French railroad stations.

Page 68. — 1. **C'est-y loin encore ?** for the correct *est-ce loin encore?*

2. **je suis du métier,** *I am in the business.*

Page 69. — 1. **y laisser leur peau,** *to be killed.*

Page 71. — 1. **F . . .,** stands probably for Fleury. See page 60, note 3.

Page 73. — 1. **le colonel Driant,** a French Congressman and a brilliant officer, who commanded a battalion of chasseurs at Verdun where he was killed, in the winter of 1916.

2. **Si on essayait une sortie,** *why not try to break through?*

Page 74. — 1. **la redoute de Th.,** the redoubt of Thiaumont, a position in advance of fort Douaumont.

2. **Ach ! Doch ! Unglaublich !** German for *Why! but it is quite incredible!*

3. **voilà les Boches qui . . . :** do not translate *voilà . . . qui.*

4. **par raison démonstrative,** an allusion to Molière's comedy the *Bourgeois gentilhomme* where we see M. Jourdain, the hero, paying a fencing master to teach him the art of killing his adversary in thorough and scientific fashion or, as M. Jourdain says, " by demonstration."

Page 75. — 1. **l'offensive de la Somme,** the joint French and British offensive of July, 1916. It was the signal, later on, for a German retreat to the so-called Hindenburg line, in the spring of 1917.

2. **une sorte de chaîne sans fin,** *a kind of endless chain.*

3. **Quant à la masse cuirassée des tanks,** *as for the massive armor-plated structure of the tanks.*

Page 77. — 1. **Croix de Victoria,** a British decoration for conspicuous bravery.

2. **Allan Seeger** (1888–1916), a young American hero. A former Harvard student and a poet, Seeger made the cause of France his own and enlisted in the Foreign Legion. He was killed at Belloy-en-Santerre the very day of the celebration of the American Independence, July 4, 1916, during the Somme offensive.

Page 79. — 1. **J'ai un rendez-vous avec la Mort,** *I have a rendezvous with death.* This is one of Seeger's most pathetic poems.

Page 80. — 1. **Il est tout à fait de la maison,** *he is really a member of the family.*

2. **si le temps s'y prête,** *if the weather allows.*

Page 81. — 1. **Si Tommy,** *what if Tommy.*

Page 82. — 1. **La reprise du fort de Douaumont:** see page 60, note 1.

2. **J'appartenais au N^{ième} de ligne,** *I belonged to the —— regiment of the line.* François observes the rule forbidding soldiers, when writing, to give their regimental number. See **N^{ième}** in Vocabulary.

Page 83. — 1. **Allons, ouste...! On décampe!** *Now, quick...! out of here!*

2. **Le général Nivelle,** then commanding the army of Verdun.

3. **qu'il avait mis huit mois,** *which it took him eight months.*

Page 84. — 1. **le fort de Vaux;** see page 60, note 1.

2. **Guynemer,** Georges, born in Paris in 1894, killed while flying in Flanders in September, 1917. He was then 23 years old and had brought down fifty-four German machines. He had been made a captain and honored with many decorations.

3. **Pégoud,** a French aviator killed while flying in Alsace.

4. **Blériot,** a French aviator, the first to fly over the English Channel in 1911.

5. **Védrines,** another well-known French aviator, now dead.

Page 85. — 1. **il tient de bonne race,** *he comes from good stock.*

2. **Pau;** see page 62, note 4.

3. **Il connaît... sur le bout des doigts,** *he knows... to perfection.*

Page 86. — 1. **escadrille des cigognes,** a famous flying squadron. It had a *stork* painted on its machines as an emblem.

2. **chevalier de la Légion d'honneur,** *a knight of the order of the Legion of Honor.*

3. **Guynemer, lui,** *as for Guynemer himself.*

4. **Guynemer a un mot,** *Guynemer utters a word.*

Page 87. — 1. **On a beau être le roi de l'air, . . .** *even though you may be the king of the air.*

2. **Hector,** the Greek hero, son of Priam, in the *Iliad* of Homer.

3. **à coups de mitrailleuse,** *with his machine gun.*

Page 91. — 1. **les Allemands sont en retraite;** the great retreat of March, 1917. See page 75, note 1.

2. **Attila;** see page 42, note 2.

3. **Le Congrès . . . d'accord avec le président,** on April 2, 1917, President Wilson read his message asking the United States Congress to recognize the state of war with Germany. The formal declaration of war took place the 6th of the same month.

Page 92. — 1. **Rochambeau,** a French liner named after the French general of the same name. See page 50, note 2.

Page 93. — 1. **la Mission française.** Immediately after the declaration of war against Germany in April, 1917, a French military mission headed by General Joffre came to the United States. General Joffre reviewed the cadets at West Point at that time.

2. **Saint-Cyr,** French military academy near Versailles. It corresponds to West Point.

Page 94. — 1. **Château-Thierry,** on the Marne, the birthplace of Jean de la Fontaine, the French fabulist (1621–1695). Taken by the Germans in their last offensive of June, 1918, Château-Thierry was recaptured with the assistance of the American army in July of the same year. Bois-Belleau (now the *Bois-des-Américains*) near the city was the scene of a gallant attack by the American marines.

2. **A. E. F.,** *American Expeditionary Force.*

3. **Meaux,** a city on the Marne in the department of Seine-et-Marne. The Germans had entered Meaux in 1914.

Page 95. — 1. **une fois n'est pas coutume,** *once does not make a habit.*

2. **les gros obus américains bombardaient . . . Metz.** In the autumn of 1918 the American army began an advance on Metz,

the city in French Lorraine annexed to Germany in 1871, and now reunited to the mother country.

3. **l'Argonne,** the hilly and wooded country extending between Verdun and the Champagne. Very fierce fighting took place in Argonne during the first three years of the war. The American army resumed the fighting there in the autumn of 1918.

4. **Sedan;** see page 16, note 2.

5. **qui faisait monter la rougeur...,** *which for forty-seven years caused every Frenchman to blush.*

6. **l'Aisne** (*s* is silent), is a French river flowing east to north-west through the Argonne and Champagne. The city of Soissons is on the Aisne. The banks of this river were the scene of much hard fighting in the summer of 1918.

7. **Saint-Quentin,** a city on the Somme, in the department of the Aisne. It was occupied for four years by the Germans.

8. **Cambrai,** a city on the river Escaut (the Scheldt) in the department of the Nord. The British army entered Cambrai in October, 1918.

9. **Et cela finissait en apothéose,** *and the end of all that was a great triumph.*

10. **Abandonnée par les Bulgares...** The successive surrender of Bulgaria, Turkey, Austro-Hungary and Germany took place between September and November of 1918.

11. **Strasbourg,** a city on the Rhine and the capital of Alsace. Stormed by the Germans in 1870, it has now been reunited to France.

Page 96. — 1. **Lille,** an important industrial city in the department of the Nord. Lost to France in 1914, it was recovered in the autumn of 1918.

2. **le roi Albert.** Albert I, the gallant king of the Belgians, reëntered Brussels, his capital, in November, 1918, after an exile of four years.

3. **l'enthousiasme tenait du délire,** *enthusiasm verged on frenzy.*

4. **l'Arc-de-l'Étoile,** the triumphal arch of *l'Étoile* in Paris, so called on account of the star-shaped square formed by the numerous avenues which converge there. It was erected by Napoleon I to commemorate his victories, and bears inscrip-

tions with the names of Napoleon's generals. A famous piece of sculpture, *the Marseillaise,* by the French sculptor Rude, can be seen on the arch.

5. **la place de la Concorde,** a beautiful square in Paris, built in the 18th century. It is surrounded by statues representing the chief French cities. Among them is the statue of Strasbourg, from 1870 to 1918 draped in mourning in order to express the grief of France for the loss of the city.

6. **l'armistice.** On November 11, 1918, after fifty months of warfare, the last volley was fired on the western front in France. Germany sent delegates to Marshal Foch, the Allied Commander, and accepted all his conditions. The great war thus came to its end.

7. **Le jour de gloire est arrivé,** *the glorious day has dawned.* This is a quotation from the *Marseillaise.*

8. **le fameux Rhin allemand,** an allusion to the German song *Die Wacht am Rhein* (" The Watch on the Rhine "), expressing Germany's intention never to surrender the guard of the river on which, however, the Allied and American armies advanced in November, 1918.

9. **Aix-la-Chapelle,** in German *Aachen,* an ancient city in Rhenish Prussia. It claims the possession of Charlemagne's grave.

10. **Mayence,** in German *Mainz,* in the former duchy of Hesse-Darmstadt, on the left bank of the Rhine. It was occupied by the French in December, 1918.

11. **Coblence,** in German *Koblenz,* a city in Rhenish Prussia. It was occupied by the American army in December, 1918.

12. **Cologne,** in German *Köln,* the cathedral city on the Rhine. It was occupied by the British in December, 1918.

13. **et le Kaiser, ...** The German Kaiser, followed by his eldest son the Kronprinz, fled to Holland immediately after the armistice of November, 1918.

14. **qui finit on ne peut mieux,** *which could not end better.*

VOCABULARY

VOCABULARY

Words that are alike in French and English have been omitted.

A

à, at, to, in, with, from; — **lui seul,** all by himself, — **la** *or* **au,** with

abandonner, abandon, leave

abattre, overthrow, down (*fam.*), bring down

abondance, abundance; **en —,** abundantly

d'abord, at first

un **abordage,** collision, hand-to-hand fighting

aborder, alight, land

un **abrégé,** summary; **en —,** briefly

un **abri,** shelter; **à l'— de,** under shelter of

abriter, shelter

absorbé, absorbed

une **accalmie,** lull

un **accent,** sound, tune, accent; **aux —s de,** at the sound of

accepter, accept

acclamer, acclaim, cheer

une **accolade,** ceremonial kiss; **donner l'—,** kiss

accompagner, accompany

accomplir, accomplish .

un **accord,** agreement; **d'— avec,** in agreement with

accourir, hasten, come running up

accroupi, **-e,** crouching, crouched

accueillant, **-e,** hospitable, affable

acharné, **-e,** desperate, fierce

s'**acharner,** be mad after; — **à,** be desperately bent on; **les obus s'acharnent,** the shells fall thick and fast

achever, finish; — **de,** finish (*with pres. part.*)

l'**acier,** *m.* steel

acquiescer, acquiesce

s'**acquitter,** acquit; **s'— de,** perform

un **acteur,** actor

l'**activité,** *f.* activity

actuel, **-le,** present, actual

actuellement, actually, at the present moment

un **adjudant,** first sergeant

adresse, address; **à l'— de,** directed at

advenir, happen

un **adversaire,** adversary

aérien, –ne, aërial

une **affaire,** affair, affairs, bus.-ness

s'**affaisser,** sink down, collapse

s'**affaler,** collapse

affluer, flock in

affreusement, frightfully

agir, act; s'— **(de),** be a question of

s'**agiter,** move about, flutter, wave; **agité, –e,** agitated, restless

une **agonie,** agony; à l'—, in a dying condition

s'**aguerrir,** get inured to war, get used to hardships

ahuri, –e, confused, bewildered

aider, help

un **aigle,** eagle

une **aigle,** eagle (*emblem*)

une **aile,** wing; **battre de l'—,** flutter its wing

d'**ailleurs,** besides, as a matter of fact

aimable, amiable

aimablement, gently

aimer, like, love

ainsi, thus, so; **pour —dire,** so to speak; — **que,** just as

l'**air,** *m.* air, song, tune; **avoir l'—,** look; **se donner de l'—,** get breathing room, take a breath

aisément, easily

ajouter, add

une **alerte,** alert, alarm; — **!** to arms! **chaude —,** bad scare

alerte, brisk, lively

l'**Allemagne,** *f.* Germany

allemand, –e, German

aller, go; — **de l'avant,** go ahead; — **et retour,** round trip; **allons!** come; **allons donc!** come now; — **à** (*fig.*), suit; **cela va encore,** it is not so bad; **cela va mieux,** it (he, she) is better; **m'irait mieux,** would suit me better

allié, –e, allied; **les —s,** the Allies

allonger, lengthen (*the range*)

alors, then, so

alsatien, –ne, Alsatian

l'**aluminium,** *m.* aluminum

ambitionner, have ambition for, ardently desire

une **ambulance,** field hospital; — **automobile,** motor ambulance unit

un **ambulancier,** field hospital attendant

une **âme,** soul

amener, bring

s'**amener** (*fam.*), come, jog along

américain, –e, American

l'**Amérique,** *f.* America

ami, –e, friend: **un interprète de mes —s,** an interpreter friend of mine

l'amitié, *f.* friendship

l'amour, *m.* love

un anachorète, hermit, anchorite

un ancêtre, ancestor

ancien, –ne, old

un ange, angel

anglais, –e, English

un angle, angle, corner, turning

l'Angleterre, *f.* England

animer, animate

une année, year

annoncer, announce

anormal, abnormal, unusual

antique, ancient, old

antitétanique. *See* **piqûre**

août, August

apercevoir, perceive, notice, discern; **s'— de,** perceive, realize

aplati, –e, crouched

aplatir, flatten; **s'—,** crouch

une apothéose, apotheosis, triumph

un appareil, apparatus, appliances; **— photographique,** camera

l'apparence, *f.* appearance, looks; **d'étrange —,** strange-looking

appartenir, belong

un appel, roll call; **personne à l'—,** nobody to answer the roll call

appeler, call

apprendre, learn, teach, tell, hear

un apprentissage, apprenticeship

apprivoiser, tame; **s'—,** become tame *or* sociable

approcher (de), approach, come near; **s'— (de),** come near

approprié, –e, appropriate, suited to

approvisionné, –e, provisioned

appuyer, support; **s'—,** lean

après, after; **d'—,** from, after, according to

un arbre, tree

un arc, arch

l'argent, *m.* silver, money

l'argot, *m.* slang

une arme, gun, weapon; *also a special branch of the service;* **sous les —s,** under arms; **présentez les —s!** present arms! **prendre les —s,** take arms

une armée, army; **corps d'—,** army corps

un armistice, armistice

arracher, draw, draw out, take away, wrest

un arrêt, stop, stay, pause; **en —,** to a stop; **tenir en —,** halt

arrêter, stop

arrière, back, rear; **en —,**

behind, back, at *or* to the rear

l'**arrière**, *m.* rear (*milit.*); à l'—, at the rear; stern, aft (*of a boat*)

une **arrivé**, arrival

arriver, arrive, happen

s'**arroger**, assume

arrosé, –e, sprinkled, showered with, shelled

l'**artillerie**, artillery

un **artiste**, artist

l'**Artois**, *m. a French province*

un **as**, ace (*aviation*), (*one who has brought down five German machines*)

un **aspect**, aspect, look

une **asphyxie**, suffocation

un **assaillant**, assailant

un **assaut**, assault; **prendre d'**—, take by storm, storm

assez, enough, rather, fairly

assigner, assign

assister (à), be present at, see, attend

assurer, assure, secure, maintain

attaché, –e, attached

une **attaque**, attack

attaquer, attack; **contr'**—, counter attack

atteindre, reach

attendre, await; **en attendant**, meanwhile; s'—à, expect

une **attente**, waiting

une **attention**, attention; —! attention! look out!

atterrir, land

une **attestation**, testimony

attester, testify

attirer, attract, draw, appeal to

une **aubaine**, windfall, godsend, chance

une **aube**, dawn

une **aubépine**, hawthorn

aucun, –e, no, no one; **ne ... —**, not any

une **audace**, audacity, daring, boldness

audacieu-x, –se, audacious, daring, bold

augmenter, increase

aujourd'hui, to-day

une **aurore**, dawn

aussi, also, as; — **que**, as ... as; therefore (*as initial word of phrase*)

aussitôt, as soon as, directly, immediately

austro-hongrois, –e, Austro-Hungarian

autant, as much; — **que**, as much ... as, as well ... as, as ... as

un **autel**, altar

authentique, real, genuine, authentic

un **auto**, automobile, motor-car

un **autobus**, motorbus

automatique, automatic

l'**automne**, *m.* autumn

autour, around; — **de,** around

autre, other; **nous —s Américains,** we Americans; **l'un l'—,** each other; **les uns les —s,** one another

autrefois, formerly

autrichien, –ne, Austrian

aux, *contraction of* **à les; le sac — obus,** the bag of shells; **la Halle — drapiers,** the Cloth Market

avaler, swallow

une **avance,** advance; **à l'—,** in advance

une **avancée** (*milit.*), outpost

avancer, advance

avant, before, ahead of; **en —,** in front, forward; **en — marche!** forward march!

l'**avant,** *m.* (*milit.*) front line; bow (*of a boat*); **à l'—,** fore (*on a boat*); **aller de l'—,** go ahead. *See* **arrière**

avantageusement, advantageously

une **avant-veille,** the last day but one before

avec, with

un **avenir,** future

une **aventure,** adventure

avertir, inform, warn

un **avertissement,** warning

aveugler, blind

un **aviateur,** aviator

un **avion,** aeroplane; — **de chasse,** chaser (*milit.*)

un **aviron,** oar

un **avis,** advice, opinion; **être d'—,** be of an opinion; **je suis d'—,** my opinion is

s'**aviser** (**de**), choose, capriciously decide

avoir, have; — **raison,** be right; — **tort,** be wrong; **il y a,** there is, there are; **il y a quelques semaines,** a few weeks ago; **il y avait de quoi,** there was reason for it; — **à,** have to; **vous aurez à,** it will be your lot to. *See* **air, cœur**

avouer, confess

avril, *m.* April

B

bah! never mind!

la **baïonnette,** bayonet; **à la —,** at the point of the bayonet; **à la —!** charge bayonets! — **au canon!** fix bayonets! *See* **canon**

balancer, fling, land (*slang*)

balayer, sweep

la **balle,** ball, bullet

le **ballon,** balloon; —**s des Vosges,** the rounded summits of the Vosges mountains

le **ban,** ban; **ouvrir le —,**

begin to play (*military band*)

le **bandage,** bandage, surgical dressing

bandière : front de —, line of battle

la **bandoulière,** shoulderbelt, sling; **en** —, slung over the shoulder

la **bannière,** banner; **la** — **étoilée,** the star-spangled banner

la **banquette,** seat; — **de tir,** firing parapet (*milit.*)

baptiser, christen

barbare, barbarian

la **barbe,** beard

barbelé, -e, barbed

bariolé, -e, variegated, of various colors, many-colored

la **barque,** boat, barge

le **barrage,** curtain fire (*milit.*)

bas, -se, low; — **sur l'eau,** low down on the water

la **basilique,** basilica, church

la **bataille,** battle

le **bataillon,** battalion

le **bateau,** boat

bâti, -e, built

la **batterie,** battery; **par** — **!** battery fire !

battre, beat; — **en retraite,** retreat; — **le terrain,** sweep the ground; — **de l'aile,** rise (*like a bird in flight*)

se **battre,** fight

battu, -e, *p.p. of* **battre,** beaten, torn up, swept

bavarois, -e, Bavarian

beau, belle, beautiful, fair, fine; **bel et bien,** right well; **avoir** —, be useless, be in vain

le **beffroi,** belfrey

belge, Belgian

la **Belgique,** Belgium

le **berceau,** cradle

le **béret,** cap, tam-o'-shanter

la **berlue,** dimness of sight; **avoir la** — (*fam.*), see double, have hallucinations

la **besogne,** task; **à la** —, at, to work; **faire de la bonne** —, do good work

le **besoin,** need; **avoir** — **de,** need

la **bête,** beast, animal; **les** —**s,** cattle

la **bicoque,** hovel, hut

bien, well, indeed, surely; — **du,** much; — **des,** many; **eh** — **!** well then; — **que,** although; **aussi** — **que,** as well as; **il y avait** —, **vous avez** — **dit,** *translate* bien *by* it is true; *adv.* very; — **faire les choses,** not do things by halves

le **bien,** good

bientôt, soon; **à** —, in the hope of seeing you *or*

hearing from you soon (*at the end of a letter*)

le **billet,** bill; — **bleu,** bank-note

le **biplan,** biplane (*aviat.*)

la **bique,** she-goat; **peau de —,** goatskin

bis, again, encore! (*in the theater*)

la **blague** (*fam.*), humbug, story, joke

blanc, –he, white

le **blé,** wheat; **les —s,** wheat fields

blesser, wound, hurt

la **blessure,** wound

bleu, –e, blue; — **de roi,** light blue; — **horizon,** sky-blue; —, *m.* rookie (*milit.*), young *or* green soldier

le **blindage,** armor plating

se **blottir,** crouch, hide

le **bobo,** small hurt

boche, German (*slang, probably from* **Alboche** *used for Allemand*)

la **Bochie** (*slang*), Germany

boire, drink

le **bois,** wood; **de —,** wooden

le **bol,** bowl

le **bombardement,** bombard-ment

bombarder, bombard, shell

la **bombe,** bomb

bon, –ne, good

le **bond,** bound

bondé, –e, full, to the uttermost

bondir, bound, jump, leap

le **bonheur,** happiness

le **bonhomme,** good fellow; **les —s** (*the correct pl. is* **les bonshommes**), the men (*soldiers*)

le **bonnet-de-police,** fatigue cap (*milit.*)

la **bonté,** kindness

le **bord,** side, bank, border, shore; **au — de,** on the edge of; **à —,** on board

borner, limit; **se —,** limit oneself, be limited; **se — à,** amount only to

bosselé, –e, battered

la **botte,** top boot

la **bouche,** mouth

la **boucle,** loop, ring

boucler, buckle, ring, loop; — **la boucle,** loop the loop

la **boue,** mud

bouger, move, stir

bouilli, –e, boiled. *See* **cuir**

bouleverser, upset, turn upside down, overthrow

boum! bang!

le **bourdon,** great bell; bum-blebee

bourguignon, –ne, native of Burgundy

la **bourguignotte,** French steel helmet

la **bourse,** purse, pocketbook

le **bout,** end, bit, top; **à —**

portant, point-blank; **à — de patience,** out of patience

la bouteille, bottle

le bouton, button

le boyau, communication trench (*milit.*)

le brancard, stretcher

le brancardier, stretcher bearer

la branche, branch

le Brandebourg, Brandenburg (*a Prussian province*)

brandebourgeois, –e, native of Brandenburg

braquer, turn, direct, point (*a gun*), hold steadily

le bras, arm; **avoir sur les —,** have on hand, contend with

brave, brave, good, honest, faithful; **mon —,** my good man

la bravoure, bravery

la brebis, ewe, sheep

brésilien, –ne, Brazilian

la Bretagne, Brittany

la bretelle, suspender, strap

breton, –ne, Breton, native of Brittany

la bricole (*slang*), trifle, nicknack

brièvement, briefly

briller, shine

le briquet, flint and steel, tinder box

briser, break

broncher, flinch

le brouillard, fog

la bru, daughter-in-law

la bruine, drizzling rain, Scotch mist

bruissant, –e, rustling

le bruit, noise

brûler, burn

la brume, fog

brusque, quick, rash, rough

bruyant, –e, noisy

le bûcher, stake, pyre; **sur le —,** at the stake

le buffet, restaurant (*at railroad stations*)

bulgare, Bulgar, Bulgarian

burlesque, comical

le butin, booty

C

çà, here; **— et là,** here and there

ça, *for* **cela,** that; **ç'a été,** *for* **cela a été**

le cabaret, tavern

le cache-nez, muffler

cacher, hide; **se —,** hide oneself

le cadavre, corpse, body, remains

le cadeau, present

cadencer, mark time; **— le pas,** mark time for marching

le cahot, jolt

la caisse, drum

le caisson, ammunition wagon

cajoler, coddle, play with

calciné, –e, burned

le calibre, caliber

califourchon: à —, astride

le calme, calm, tranquillity, stillness

calmement, quietly, calmly

le calot, cap

le camarade, comrade

campagnard, –e, country-like, rustic

la campagne, country

le candidat, candidate

le canon, cannon, barrel (of a gun); — révolver, quick-firing gun

la canonnade, cannonade

le canonnier, gunner

la cantine, canteen

le cantonnement, billets (milit.), cantonment

cantonner, billet, be billeted (milit.), quarter

le capitaine, captain

la capitale, capital

le caporal, corporal

la capote, coat, greatcoat (milit.)

capoter, turn upside down

capricieu-x, –se, capricious

capti-f, –ve, captive

la carapace, shell, armor

le carreau, pane (of a window)

la carrière, career, profession, way, course, lists

la cartouche, cartridge

le cas, case; en tout —, in any case

la caserne, barracks

le casque, helmet; — à pointe, spiked helmet (German); — de troupe, private soldier's helmet

casqué, –e, capped

la casquette, cap

casser, break; se —, break

la cathédrale, cathedral

la cause, cause; à — de, on account of

la cavalerie, cavalry

la cave, cellar

ce, cet, cette, pl. ces, adj. this, that, these, those (used before a proper noun to indicate contempt, sometimes admiration); pron. this, that, it; sur —, thereupon; — qui, — que, that which

la ceinture, belt, band. See flanelle

ceinturé, –e, belted

le ceinturon, sword belt

cela, that

célèbre, celebrated, famous

céleste, heavenly

celui, celle, pl. ceux, celles, this, that, these, those; — -ci, this one; — -là, that one

cent, hundred

la centaine, about a hundred; —s, hundreds

le cent-cinquante, shell of 150 millimeters

le centre, center

cependant, however, meanwhile

le **cercle,** circle

la **cérémonie,** ceremony

cerner, surround, hem in, beset

la **cervelle,** brain, mind

chacun, –e, each, each one

la **chaîne,** chain

le **chaland,** barge

la **chambre,** room, chamber; **— photographique,** camera

le **champ,** field; **— de bataille,** battle field; **en plein —,** in the open field; **à travers —s,** across the country

la **chance,** luck, fortune

le **change,** change; **donner le —,** deceive

changer, change; **— d'idée,** change one's mind

la **chanson,** song

le **chant,** song

chanter, sing, hum

le **chapelet,** rosary; **dire le —,** recite the rosary

la **chapelle,** chapel

le **char,** car, chariot; **— d'assaut,** tank (*milit.*)

la **charge,** load; charge (*milit.*)

le **chargement,** load

charger, load, put on; **se — de,** undertake, assume, do

charmer, charm

la **chasse,** hunt, chase, game shooting

le **chasseur,** light infantryman, rifleman (*milit.*)

le **château,** castle, château

châtelain, –e, master *or* mistress of a château

chaud, –e, warm, hot; **être au —,** be warm *or* comfortable; **se tenir —,** keep warm

chaudement, hotly

chauffer, warm; **se —,** warm oneself; **ça chauffe dur** (*fig.*), it is getting hot (*of fighting*)

le **chauffeur,** chauffeur, automobile driver

la **chaussure,** footwear, shoes

le **chef,** chief

le **chemin,** road, way; **en —,** on the way

la **cheminée,** chimney, fireplace, hearth

le **cheminement,** approach, tramping, (noise of a) procession

la **chemise,** shirt

le **chêne,** oak

chenu, –e, gray headed, ancient, old

cher, –ère, dear

chercher, seek, look for; **aller —,** fetch

chèrement, dearly

le **cheval,** horse

le **chevalier,** knight

les **chevaux-de-frise**, spiked fences (*milit.*)

la **cheville**, ankle

chez, at the house of, at, among, home

chic, elegant, gallant, chic

le **chocolat**, chocolate

le **chœur**, choir, chorus; **en —**, all at once

choisir, choose, decide

la **chose**, thing; **pas grand'—**, nothing much (**grand'** *here stands for* **grande** *as in* **grand'route**, **grand'mère**)

Christophe, Christopher

la **chute**, fall, falling; **point de —**, place to fall

ci, here (*see* **celui**); **—- dessus**, above-mentioned; **—-joint**, enclosed

la **cible**, target

le **ciel**, sky

le **cigare**, cigar

la **cime**, top, summit

le **cimier**, crest

cinquante, fifty

cinquième (Vième), fifth

la **circonstance**, circumstance

circonstancié, **-e**, minute, detailed

ciré, **-e**, waxed, oiled; **toile -e**, oilcloth

la **cisaille**, shears

la **citadelle**, citadel

la **citation**, mention; **— à l'ordre du jour**, mention in orders

la **cité**, city

citer, mention.

la **civière**, stretcher

civil, **-e**, civil; **un —**, a civilian; **dans le —**, in civil life

clair, **-e**, clear

le **clairon**, bugle, bugler

le **clapotis**, ripple, splashing

la **clarté**, light

la **classe**, class; **les jeunes —s**, the new recruits (*milit.*)

la **clef**, key; **prendre la — des champs**, run away

cligner, wink, blink; **— de l'œil**, wink

la **clique**, drums and bugles (*in a band*)

la **cloche**, bell

le **clocher**, belfry, steeple

la **cloison**, partition, wall

le **clou**, nail, hobnail

le **cœur**, heart, courage; **un bon —**, a kind-hearted person; **en avoir le — net**, find out the truth

la **cohue**, crowd, mob

coiffé, **-e** (*after* **être**), wear (on one's head)

le **coin**, corner

le **collectionneur**, collector

la **colline**, hill

la **colonne**, column

le **combat**, battle

combattre, fight

combien, how much, how; **— de**, how much, how many

le **comble**, height, highest degree, highest pitch; **pour — de malheur**, to crown the misfortune; **au — de ses vœux**, at the summit of one's happiness

le **commandant**, major

la **commande**, control-lever (*of an aeroplane*)

commander, command, govern

comme, like, as

commencer, begin

comment, how

le **commentaire**, commentary

la **compagnie**, company, companionship; **en —**, together

le **compagnon**, companion

la **comparaison**, comparison

le **compartiment**, compartment

le *or* la **compatriote**, countryman, countrywoman

complet, **–ète**, complete, full; **au grand —**, in full muster

complètement, completely

compléter, complete

composer, compose; **se — de,** be composed of, be made of

comprendre, understand

le **compte**, account; **recevoir son —**, be done for; **sur le — de**, about, concerning

compter, count; **— sur,** depend on

le **comptoir**, counter

concerté, **–e**, concerted, planned (by several persons) in advance, preconcerted

conclure, conclude

le **conducteur**, conductor, driver

conduire, drive

conduit, **–e**, driven, conducted

la **confiance**, feeling of security, confidence

confier, trust, tell in confidence

confirmer, confirm

la **confiture**, preserve, jam

confondu, **–e**, intermingled

le **confort**, comfort

confus, **–e**, confused, indistinct

le **congrès**, Congress

connaître, know; **y** *or* **s'y—,** know about (*something*)

conquérir, conquer

la **conquête**, conquest

la **conscience**, conscience, consciousness; **perdre —**, lose consciousness

le **conseil**, advice

conserver, keep

les **conserves**, *f.* canned goods, preserves

la **consigne**, orders, instructions; **passer la —**, give orders

consister (**à** *or* **en**), consist in

onstellé, –e, dotted, starred

constituer, establish, form, set up

le conte, story, anecdote

contenir, contain, hold, restrain; ne plus — sa joie, be beside oneself with joy

contenter, content, satisfy; se — de, be satisfied with

conter, tell, relate

continuel, –le, continual

continuer, continue, go on; — à être, continue being

contre-attaquer, counter-attack

contre, against; par —, on the contrary

le contredit, contradiction; sans —, without contradiction, unquestionably

convaincre, convince; se — de, be convinced of, make certain of

la convalescence, convalescence; en —, recovering (from sickness)

convenir (à), suit

convenu, –e, p.p. of convenir, agreed upon

le convoi, convoy (milit.), procession

copieusement, plentifully

le corbeau, crow, raven

cordial, –e, cordial, hearty;

—ement, cordially, heartily

le cordon, string, lace

le cordonnier, shoemaker

la cornemuse, bagpipe

le corps, body, corps, unit (milit.); — d'armée, army corps. See santé

le cortège, procession

la corvée, fatigue party, fatigue duty

la côte, slope, hillside; à mi-— de, halfway up the hill

le côté, side; à — de, close to, beside; du — de, on the side of, in the direction of, near

le coteau, small hill, hillside; à flanc de —, on the hillside

se coucher, lie down. See soleil

coudre, sew

couler, flow, sink, bring down

la couleur, color; les —s, colors (flag)

le coup, blow, stroke, hit; — de dent, bite; — de feu, de fusil, shot;— de main, helping hand, surprise attack; — de rein, stiffening of the back; — de talon, kick (backward); tout à —, suddenly; — sur —, in quick succession; frapper à —s re-

doublés, strike hard;
faire le — de feu, shoot.
See sifflet

couper, cut

la cour, court; — d'honneur,
main court (*of a château*)

courbé, –e, bent

le coureur, messenger, scout

courir, run

le courlis, curlew

la couronne, crown, wreath

couronner, crown

le courrier, mail, letters; faire
le —, make up the mail

la courroie, strap

le cours, course; au — de, in
the course of, during; en
— de route, during the
journey

la course, trip, course, errand

court, –e, short, brief

courtois, –e, courteous

coûter, cost, be painful;
coûte que coûte, at
whatever cost

coûteu-x, –se, costly, ex-
pensive

la coutume, custom; comme
de —, as usual

couvert, –e, *p.p. of* couvrir,
covered

couvrir, cover, protect; se
—, cover oneself, get
under cover

cracher, spit

le cran, pluck, nerve, courage; avoir du —, have
nerve

crânement, bravely, gal-
lantly, pluckily

crâner, swagger, boast

le crapaud, toad

le crapouillot, trench mortar,
bomb

la crème, cream. *See* menthe

le créneau, loophole (*milit.*)

le crépuscule, twilight

la crête, ridge, top

creuser, dig, hollow out

creu-x, –se, hollow,
sunken

le cri, cry

crier, shout

croire, believe

le croiseur, cruiser

la croix, cross; — de guerre,
war cross

crouler, crumble

le cuir, leather; — bouilli,
blocked leather

le cuirassé, iron-clad (ship),
battleship

le cuivre, brass, copper

la culture, culture, cultiva-
tion, land under cultiva-
tion; les —s, fields

la cigogne, stork

D

la dame, lady

se dandiner, swing (in advancing), advance with
mincing steps *or* in a
mincing manner

dangereu-x, –se, danger-
ous

dans, in, according to

la **danse,** dance; **la — commence,** the show begins, the game is on

danser, dance

le **dauphin,** dolphin, dauphin (*eldest son of the kings of France*)

davantage, more, further

de, of, from, to, with, on, for, than, some

se **débarrasser (de),** relieve oneself of, get rid of

se **débattre,** struggle

débonnaire, gentle, good-natured, easy

déborder, run over, overwhelm

déboucher, open, uncork, remove the cap (*of a shell*), come out

debout, standing up, upright, up!

débusquer, dislodge, oust, drive out

le **début,** beginning; **au —,** in the beginning

décamper, decamp, march off, hurry away

décembre, *m.* December

décerner, award, grant

déchaîner, let loose

décidé, –e, decided, settled, resolute, brave

décidément, decidedly

décider, decide

décisi-f, –ve, decisive

déclancher, let loose, open

(*firing*); **se —,** open, break loose

déclarer, declare

déconcerter, disconcert

le **décor,** setting, scenery (*in a theater*)

la **décoration,** medal

décoré, –e, decorated; **être —,** receive a medal

découvert, –e, *p.p. of* **découvrir,** uncovered; **à —,** uncovered, in the open; **une route à —,** a road unprotected (*against possible firing*)

découvrir, discover, perceive, see, uncover

décrire, describe

dédaigner, disdain

dédaigneusement, disdainfully

dedans, inside; **là- —,** in there

la **défaillance,** faltering, flinching

défaillant, –e, feeble, trembling

défaire, undo, open, untie

la **défaite,** defeat

la **défense,** defense, prohibition; **— de,** it is forbidden to

défensi-f, –ve, defensive

la **défensive,** safeguard: **se mettre sur la —,** prepare to defend oneself

le **défilé,** parade, review, marching past

défiler, march past

dégager, release, relieve

le **dégât,** damage

déguiser, disguise

déjà, already

le **déjeuner,** breakfast

delà : au — de, beyond

délavé, –e, soaked, discolored

délicat, –e, delicate

le **délice,** delight

délier, undo, untie

le **délire,** delirium, frenzy

délirer, be delirious; **— de joie,** be mad for joy

délivré, –e, freed, liberated

demander, ask, require; **se —,** ask oneself, wonder

démarrer, cast off (*naut.*), begin to move off

déménager, move (furniture out of a house), go away (*fam.*)

demi,–e, half; **un —-siècle,** half a century; **— -tour,** about face (*milit.*)

la **démission,** resignation; **donner sa —,** resign

la **démocratie,** democracy

la **demoiselle,** young lady

démoli, –e, demolished

démoralisant, –e, demoralizing

dénicher, dislodge

la **dent,** tooth; **les —s serrées,** with teeth set

la **dentelle,** lace, lacework

le **départ,** departure; **être du prochain —,** be on the list of the next to go

dépendre, depend

les **dépens,** cost, expense; **aux — de,** at the expense of

déployer, spread out, deploy; **se —,** spread out (*milit.*)

déposer, put down, lay down

depuis, since, from, for; **— longtemps,** for long, long ago; **— un mois,** for the last month

le **député,** deputy, congressman

déranger, disturb

derni-er, –ère, last; **la —ère,** the last letter

dernièrement, recently

se **dérouler,** unroll, unwind

la **déroute,** rout, defeat; **en —,** routed

derrière, behind; **par —,** from behind

dès, from, since, immediately upon; **— que,** as soon as

désarmer, disarm

désastreu-x, –se, disastrous

descendre, come down, march down, bring down, shoot down

descendu, –e, *p.p. of* **descendre,** brought down, felled, killed désert, –e, deserted, lonely

désespérer, despair

désigner, designate, indicate, mean, denote

le désir, desire, wish, expectation

désirer, desire, want, wish

désormais, henceforth

dessous, under, underneath, below; au- — de, under, below

dessus, above, on top, upon, over; au- — de, above, upon, over; ci- —, above-mentioned

la destination, destination; à — de, bound for

le détail, detail, particular; en —, in detail

détruire, destroy

le deuil, mourning

deux, two; tous les —, both

le deux-cent-vingt, shell of 220 millimeters

devant, before, in front of

devenir, become; que devient ? what becomes of?

deviner, guess

la devise, motto

le devoir, duty

devoir, must, ought, be obliged to, have to, be going to, owe; *also tr. as* probably *before another verb*: ont dû vous annoncer, have probably informed you

dévoué, –e, devoted; votre —, faithfully yours (*at the end of a letter*)

diabolique, devilish

Dieu, God; — merci! thank goodness! luckily

différent, –e, different

difficile, difficult, particular, troublesome

la difficulté, difficulty

digne, worthy

dimanche, Sunday

diminuer, lessen, diminish

le dîner, dinner

diplomatique, diplomatic

dire, say, tell, recite; c'est-à- —, that is to say; pour ainsi —, so to speak; soi-disant, so-called, self-styled; qu'on dit (*for* d'après ce que l'on dit), as they say; sans rien —, in silence

diriger, lead

disparaître, disappear

disponible, available

disputer, dispute, contest

la distance, distance; à — respectueuse, at a safe distance

distinctement, distinctly

distinguer, distinguish; se —, be distinguished, be made conspicuous

les distractions, amusements, interesting events

se distraire, amuse oneself

distribuer, distribute

dix, ten

la **dizaine,** about ten, half a score

le **doigt,** finger; **toucher du —,** hit upon (*the truth*)

doit, *present indicative of* **devoir**

le *ou* la **domestique,** servant

le **dommage,** wrong, damage, harm; **— que,** it is a pity that

le **don,** gift

donc, then, therefore, well then, to resume; **qui —?** whoever? *after imperative, for emphasis,* **tirez —!** increase your fire, shoot faster! **regardez —!** just look!

le **donateur,** giver

donner, give; **il m'a été donné de,** it has been my privilege to; **— dans,** fall in, go head foremost into, fight in; **— à prévoir,** make one foresee. *See* **air, change, épée, poignée**

dont, whose, of, from, on, with whom *or* which

dorénavant, henceforward

dormir, sleep; **— à poings fermés,** sleep soundly

le **dos,** back; **dans le —,** from behind

double, double

doucement, quietly, gently

la **douceur,** sweetness; **la —**

de vivre, the joy of living

le **doute,** doubt

douter, doubt; **se — de,** suspect

dou-x, –ce, sweet

douze, twelve

le **dragon,** dragoon

le **drame,** drama

le **drapeau,** flag, standard

le **drapier,** clothier; **la Halle aux –s,** Cloth Market

dressé, –e, set up

le **droit,** right; **— des gens,** peoples' rights, international law

droit, –e, right, straight; **tout —; — devant soi,** straight ahead

la **droite,** right, right hand; **à —,** on *or* to the right

dru, –e, thick, hard

la **dunette,** poop, poop deck

dur, –e, hard

durer, last, endure; hang heavy on one's hands (*of time*)

E

l'**eau,** *f.* water

un **éboulement,** landslide

s'ébranler, shake, move, go ahead

échanger, exchange

échapper (**à**), be lost to, escape the attention of; **l'— belle,** have a narrow escape

s'**échapper,** escape

s'**échauffer,** become hot

éclairant, -e, lighting, luminous; **fusée —e,** lighting rocket

s'**éclaircir,** lighten, be thinned out

éclairer, light up

un **éclat,** splinter, fragment (*of a shell*); light, luster, brilliancy

éclatant, -e, bright, brilliant, remarkable, flagrant

éclater, burst, break out

une **école,** school

écoli-er, -ère, schoolboy, schoolgirl

écossais, -e, Scotch

l'**Écosse,** *f.* Scotland

un **écot,** reckoning, share of expense

s'**écouler,** pass, elapse

écouter, listen

écraser, crush; **s'—,** be crushed

s'**écrier,** exclaim

écrire, write

s'**écrouler,** fall down, crumble

un **édifice,** building

Édouard, Edward

effectuer, effect, perform

un **effet,** effect; **en —,** indeed, in fact; **produire un —,** have an effect

un **effort,** effort, exertion

effrayer, frighten

un **effroi,** fright

effroyable, frightful

égal, -e, equal, alike; **c'est —,** it does not matter, all the same, never mind

également, also

égaré, -e, lost

une **église,** church

une **égratignure,** scratch

eh bien! now, well

s'**élancer,** spring forward

électriser, electrify, galvanize

s'**élever,** rise, come *or* spring up

une **élite,** elite, select few; **d'—,** picked

éloigné, -e, distant, far away

s'**éloigner,** go away, withdraw; **trop —,** go too far away

s'**embarquer,** set out, get on board

embarrassé, -e, embarrassed

s'**embourber,** sink *or* stick in the mud, get ditched

embrasser, embrace

une **embrasure,** opening, loophole

une **embuscade,** ambuscade

embusquer, place in ambush; **s'—,** lie in ambush

émerger, emerge

émeut, *prescnt indicative of* **émouvoir**

emmener, take away

émotionnant, –e, moving

émouvant, –e, moving, touching, impressive, thrilling

émouvoir, move; **s'—,** be moved

empêcher, prevent

un **emplacement,** position, location, spot

emplir, fill

employer, employ, use

emporter, carry away, take away, take by storm

en, *prep.* in, into, to, within, while; *pron.* of it, him, her, them; *adv.* as; **la surprise n'— sera que plus facile,** the surprise will be so much the easier. *See* **avant, route**

encadrer, surround, frame, encircle

une **enceinte,** enclosure, precincts, walls; **dans l'—,** within the limits

un **enchantement,** magic

encombrer, crowd, obstruct

encore, more, again, yet, still, even; **— un,** still another; **— trois jours,** three days more

encourager, encourage

encrasser, fill with dirt, clog, foul

endommagé, –e, damaged

endormi, –e, asleep

un **endroit,** place, spot; **au bon —,** in the right place

énervé, –e, unnerved, enervated

un, une **enfant,** child

un **enfer,** hell, inferno

enfin, at last

enflammé, –e, burning, on fire, in flames

enfoncer, drive in, break, pierce, sink, force into

un **enfouissement,** burial

s'**enfuir,** flee

engagé, –e, retained, engaged, enlisted; **un —,** a volunteer (*milit.*)

engager, begin, open (*a battle*); **s'—,** open, begin, enlist; **— la conversation,** enter into conversation; **— son honneur,** pledge one's honor

un **engin,** tool, weapon

enjamber, climb over

enlever, take away, take out, carry away; **— à,** take from

ennemi, –e, enemy, hostile, opposite

ennuyer, bore, tire out, weary; **s'—,** be bored, tired out, wearied

énorme, enormous

s'**enquérir (de),** inquire (about), ask

s'**enrayer,** stop, jam (*a gun*), be out of gear *or* blocked

ensanglanté, –e, bloody

un **ensemble,** ensemble, unity, uniformity (*of action*)

ensemble, together, at the same time

enseveli, –e, buried

ensuite, after, afterwards

entendre, hear, understand, mean; — **parler de,** hear of; s'— **avec,** agree with

entendu, –e, *p.p. of* **entendre,** heard, understood; *adj.* knowing, clever, skilled; **faire l'—,** pretend to be clever

enterrer, bury

un **enthousiasme,** enthusiasm

enti-er, –ère, entire, whole

entonner, begin *or* strike up singing

entourer, surround

entraînant, –e, lively, winning, thrilling

entraîner, drag, push, carry, take away, train, drill; s'—, drill, train

entre, between, among

une **entrée,** entrance, entry

entrefaites : sur ces —, thereupon, meanwhile

entrer, enter; — **en scène,** come on the stage

entrevoir, perceive, catch sight of

une **entrevue,** interview, meeting

énumérer, enumerate

un **enveloppement,** envelopment

envers, toward

une **envie,** envy, inclination; **avoir — de,** be desirous, inclined, disposed to; **mourir d'—,** long to *or* for

environ, about

les **environs,** *m.* surroundings

une **envolée,** flight

envoyer, send; s'—, send to each other

épais, –se, thick

s'**épanouir,** spread out, expand

épargner, spare

une **épaule,** shoulder

une **épée,** sword; **donner le coup d'— sur l'épaule,** touch the shoulder with the sword

éperdu, –e, distracted, bewildered

une **épicerie,** grocery, grocery store

épier, watch

un **épilogue,** epilogue, conclusion (of a story)

un **épisode,** episode, incident

une **épitaphe,** epitaph

une **époque,** time

éprouver, try, feel, experience, suffer; **la Légion a été très éprouvée,** the legion has suffered heavy losses

épuiser, use up, exhaust

un **équipage,** crew

une **équipe,** team, gang, crew

un **équipement,** equipment

une **éraflure,** scratch

érigé, –e, erected

une **escadrille,** squadron

escalader, jump over

un **escalier,** stairway; **des —s,** steps

une **escorte,** escort

escorter, escort, follow

une **escouade,** squad

s'escrimer, labor energetically, strive

un **espace,** space

l'**Espagne,** *f.* Spain

espérer, hope

un **espoir,** hope

un **esprit,** spirit, mind

essayer, try

essentiel, –le, essential; **l'—,** the main thing

l'**est,** *m.* east; **à l'—,** east

une **estafette,** estafette, messenger (*milit.*)

établir, establish; **s'—,** establish oneself, be established

étaler, spread out, display

un **état-major,** staff, general staff

les **États-Unis,** United States

éteint, –e, *p.p. of* **éteindre,** extinguished, put out, out

étendre, stretch out

étendu, –e, *p.p. of* **étendre,** stretched out, lying down

éternellement, eternally, forever

étinceler, gleam, sparkle

une **étoile,** star

étoilé, –e, starred, starry; **le drapeau —,** the star-spangled banner

étonnant, –e, astonishing, amazing, wonderful

étonner, astonish, surprise

étrange, strange

étrang-er, –ère, stranger, foreign, foreigner; **le troisième —,** the third foreign regiment (*Foreign Legion*)

être, be; **il m'est** (*before adjective*), it is ... for me; **c'est à ... de,** it is the turn of, it belongs to; **— de,** belong to; **c'est que,** because; **— à cligner,** be there winking. *See* **avis**

étroit, –e, narrow, close

un **étudiant,** student

européen, –ne, European

évacuer, send to the rear

s'évanouir, faint away

éveillé, –e, awake, awakened

s'éveiller, wake up

un **événement,** event

éventuel, –le, eventual, casual, possible

évidemment, evidently

éviter, avoid

exaspérer, exasperate

une exception, exception; à l'— de, with the exception of, except

une exécration, curse

exécuter, execute, carry out, perform, kill

un exemple, example; par —, for instance

s'exercer (à), practice, drill

exigu, –ë, scanty, slight, small, narrow

expansi-f, –ve, unreserved, outspoken, open-hearted

expier, expiate

expliquer, explain; s'—, understand

un exploit, exploit, heroic deed

explorer, explore, visit

explosi-f, –ve, explosive; un —, explosive

s'exposer, expose oneself, be exposed

expr-ès, –esse, express, positive, strict; —, on purpose; défense expresse d'approcher, it is strictly prohibited to come near

exténuant, –e, exhausting

extraire, extract, take out

une extrémité, extremity

un ex-voto, votive offering

F

fabriquer, manufacture, make

la face, front, face; — à —, face to face; en —, opposite, in front of

fâcher, anger; se —, become angry

facile, easy

facilement, easily

la façon, way, manner; d'une — décisive, definitely

la faction, guard, sentry-duty; de —, en —, on duty, on post; prendre la —, stand guard

faiblir, weaken

faire, make, do, let, cause, order; se — tuer, get killed; se — un plaisir, take pleasure; se — à tout, get used to everything; se — attendre, keep one waiting; ne s'en — pas, not worry; — bon ménage, get along well; — demi-tour, about face; —feu, fire; — honneur à, honor, be worthy of; — le mort, play possum, pretend to be dead; — parler de soi, be talked about; — peur, frighten; — semblant, pretend; — la vendange, harvest, gather the grapes; il avait fait Charleroi, he was at the battle of Charleroi. **Faire** *is sometimes used for* **dire : fait-il** *or* **dit-il.** *For other phrases with* **faire** *see Vocabulary under the noun, adjective, or adverb connected with it in the text.*

le **faisceau,** stack; **former les —x,** stack arms

fait, –e, *p.p. of* **faire,** done, made; **c'est —,** it has come to pass, it is all over; **tout à —,** entirely, absolutely; **aussitôt — que dit,** no sooner said than done

le **fait,** fact

falloir, be necessary, must, take; **s'en —,** be wanting *or* missing; **il nous faut,** we must

fameu-x, –se, famous, fine

famili-er, –ère, familiar

la **famille,** family; **en —,** in *or* with one's family, at home

le **fantôme,** phantom, ghost

la **fatigue,** fatigue, weariness

fatigué, –e, tired, wearied

faucher, mow down; **fauchez double !** (fire a) double salvo! (*milit.*)

se **faufiler,** slip through, creep, thread one's way

faut : il —, *indic. of* **falloir,** it is necessary, one must;

il le —, it must be done; **il — bien,** naturally, of course, one has to; **il — quelque chose à, ...** needs

la **faute,** fault, error, mistake. *See* **qui**

fau-x, –sse, false, wrong

favori, –te, favorite

favorisé, –e, favored

la **fée,** fairy

le **feld-webel** (*German*), sergeant-major

la **félicitation,** congratulation

la **femme,** woman

la **fenêtre,** window

ferme, firm

la **ferme,** farm

fermer, close, shut

fermi-er, –ère, farmer, farmer's wife

féroce, ferocious

la **fête,** feast, festival, celebration

le **feu,** fire, firing; **coup de —,** shot; **ligne de —,** firing line; **— d'artifice,** fireworks; **— à volonté** (*milit.*), fire at will; **— de salve,** volley; **faire —,** fire, shoot; **en —,** burning, hot

le **feu-follet,** will-o'-the-wisp

février, *m.* February

fidèle, faithful, true

fi-er, –ère, proud, fine, brave

la **figure,** face; **faire bonne**

—, look well *or* pleasant, make a good figure

figurer, be placed

le **fil,** thread, wire; **sans —,** wireless

le **fil-de-fer,** wire; **— barbelé,** barbed wire

la **file,** file, line, procession; **en** *or* **à la —,** in a line, in a file

filer, spin, run along, be off. *See* **train**

la **fille,** girl

la **fillette,** little girl

le **fils,** son

la **fin,** end

finalement, finally

finir, complete, finish, end, do; **en —,** finish with, have done with, see through; **— par,** *before infinitive, tr. with* finally

fit, *preter. of* **faire,** did

fixe, fixed, staring, regular, appointed

fixer, fix

flairer, smell, scent

flamand, -e, Flemish

flambant, -e, flaming, blazing, smart; **— neuf,** brand-new

flamber, flame, blaze, flash

flamboyant, -e, flame-colored

la **flamme,** flame

le **flanc,** flank, side; **de —,** in flank (*milit.*), from the side; **à — de coteau,** on the hillside

la **Flandre,** *also* les **—s,** Flanders

la **flanelle,** flannel; **ceinture de —,** flannel band

le **fléau,** scourge, curse, plague

la **fleur,** flower, blossoming

fleurdelisé, -e, decorated *or* flowered with lilies

le **fleuve,** river

le **flocon,** flake

la **flotte,** fleet; **— de haute mer,** high seas fleet

flotter, wave, float

la **foi,** faith, word, honor; **ma —,** upon my word; **— de,** on the faith of

le **foin,** hay; **les —s,** hay-making

la **fois,** time; **une —,** once; **à la —,** at the same time; **des —** (*fam. for* **il y a des —**), sometimes, may be; **huit — sur dix,** eight times out of ten

le **fokker,** German aeroplane

follement, madly

foncer, drive in, attack

le **fond,** bottom, background; **au — de,** deep in; **— de ciel,** sky

la **fontaine,** fountain

le **forçat,** convict

la **force,** force, strength; **— était de,** we had to; **à —**

de, by dint, by means of;
— *before a noun* much,
many

forcer, force, oblige, force
or break open

la **forêt,** forest

la **formation,** formation, unit;
— **sanitaire,** medical
unit; **en — de bataille,**
in battle array

former, form, stack (*arms*),
constitute, make

fort, *adv.* very

fort, –e, strong, hard;
c'est —, it is strange;
c'est trop —, that is too
much *or* beyond en-
durance

le **fort,** fort

la **forteresse,** fortress

fortifier, fortify, strengthen

le **fortin,** little fort

le **fossé,** ditch, moat

le **fossoyeur,** gravedigger

foudroyer, strike with
lightning, crush, annihi-
late

fouetter, whip; **fouette cocher !** go ahead, driver!

fouiller, search

la **foule,** crowd

la **fournaise,** furnace

la **fourragère,** fourragère,
honor cord (*milit.*)

le **foyer,** hearth, home

le **fracas,** noise, roar, din,
crash

la **fraîcheur,** coolness, cool

les **frais,** *m.* expenses, cost;
aux — de, at the ex-
pense of

le **franc,** franc (*French silver
coin equal to about 19
cents*)

français, –e, French;
à la française, (*for* **à
la manière française**),
in the French way

franchir, jump over, rush
through, break through,
overcome

franzose (*German*), Frenchman

frapper, strike, hit, knock,
rap, impress

fredonner, hum

freiner, put on the brake

frêle, frail

fréquenter, frequent, visit
frequently

le **frère,** brother; **mauvais —,**
bad fellow; **vieux —,** old
chum

la **fresque,** fresco

frise: chevaux de —,
spiked fences

frissonner, shiver, thrill

Fritz, *a name for the
German soldier*

froid, –e, cold; **le —,** cold;
avoir —, be cold

frondeu-r, –se, independ-
ent, self-willed, rebel-
lious

le **front d'attaque,** the front
line of the enemy

frotter, rub; se —, rub

fuir, flee

la fuite, flight

fumant, -e, smoking, hot

la fumée, smoke

fumer, smoke

funèbre, funereal, dismal, gloomy

la furie, fury

la fusée, rocket, fuse

le fusil, rifle, gun; — lance-grenade, grenade-rifle

la fusillade, fusillade, firing

fusiller, shoot

fuyait, *imperf. of* fuir

G

le gabier, topman, sailor

gagner, gain, win, earn

gai, -e, gay, cheerful

gaillard, -e, lively, jolly, brisk; un fameux —, un superbe —, a fine big fellow

la gaine, sheath

la gaîté, gayety, cheerfulness

galant, -e, polite, courteous, gallant

le galon, stripe

le gamin, boy, urchin, youngster

le gant, glove

le garçon, boy

la garde, guard, watch, duty (*milit.*); monter la —, be on the watch, on guard, on duty; — à vous attention!

le garde-à-vous, standing at attention! prendre le — *or* se mettre au — stand at attention

le garde-fou, railing

garder, guard, watch over, keep, retain

la gare, station; en —, at the station

gare! look out!

se garer, get out of the way, take shelter

la garnison, garrison

le gars, boy, lad, burly fellow (*pronounce* gâ)

gâter, spoil

gauche, left; à —, on *or* to the left

gaulois, -e, Gallic (*of the old French type*)

le gavroche, street boy, urchin

le gaz, gas

le gendarme, policeman (*French military police*)

le généralissime, generalissimo, commander-in-chief

la générosité, generosity

le génie, engineers (*milit.*), genius, spirit

le genou, knee; mettre — à terre, kneel down

le genre, kind

les gens, people; — de mer, sailors

gentil, -le, fine, pretty, pleasant

gentiment, gently, in a kindly manner, prettily

le **geste,** gesture; **d'un — brusque,** quickly, rashly

le **geyser,** geyser

le **gibier,** game

gicler, spout, squirt

gigantesque, gigantic

le **gilet,** vest; **— de dessous,** undervest

gît, lies; *pl.* **gisent,** *present of* **gésir,** lie

la **glace,** ice

glacer, freeze

le **glacis,** glacis (*of a fort*), slope, bank

glisser, slip; **se —,** slip, glide, creep; **— un mot,** whisper

la **gloire,** glory

glorieu-x, -se, glorious

gober (*slang*), like

goguenard, -e, jeering

gothique, Gothic

la **gourde,** canteen

le **goût,** taste; **prendre — à,** take a liking for

gouverner, steer; **— droit sur** (*with an aeroplane*), fly straight towards

le **gouverneur,** governor

la **grâce,** grace; **— à,** thanks to; **de bonne —,** cheerfully

le **grade,** rank

grand, -e, great, large, big, tall. *See* **chose, messe**

grandiosement, magnificently

grandir, grow, rise, raise, magnify; **se —,** rise, grow, become greater; **se — de toute sa taille,** rise to one's full height

le **grand'père,** grandfather

gras, -se, fat; **le — du mollet,** the fat of the calf

gratuitement, gratuitously, for nothing, without expense

grave, serious, grave

grec, -que, Greek, Grecian

la **grenade,** grenade (*milit.*); **—à main,** hand grenade; **— à fusil,** rifle grenade

le **grenadier,** grenadier, grenade thrower

le **grenier,** attic; **— à foin,** hay barn

grièvement, grievously, gravely, seriously

gris, -e, gray

la **griserie,** excitement, exhilaration

gros, -se, big; **— temps,** bad weather

la **guêpe,** wasp

guère, hardly, scarcely

guéri, -e, healed, recovered

la **guérison,** recovery; **en bonne voie de —,** safely recovering

la **guerre,** war; **en —,** at war

le **guet,** watch, watching

guetter, watch, be on the lookout

le **guetteur,** watcher, sentry

guider, guide, lead

Guillaume, William

la **guimbarde** (*slang*), old carriage

la **guirlande,** garland, wreath

la **guise,** way, manner, fashion; **en — de,** by way of

H

un **habit,** costume, uniform; **les —s gris,** the graycoats (*the Germans*)

habiter, inhabit, live (in)

une **habitude,** habit, custom; **d'—,** usually, generally

la **haine,** hate, hatred

la **halle,** market place

la **halte,** halt; **— là !** halt! stop there!

Hanovre, Hanover (*a Prussian province*)

haranguer, address

le **hasard,** chance; **à tout —,** at all risks

hasardeu-x, –se, dangerous, venturous, unsafe, risky

la **hâte,** haste; **à la —, en —,** hastily

se **hâter,** hasten

haut, –e, high, erect; **d'en —,** from above; **là–,** up there; **tout —,** out loud; **tout là–,** high above. *See* **lutte**

le **haut,** height, top; **du — de,** from the top of; **tomber de tout son —,** fall down flat

la **hauteur,** height; **à — d'homme,** the height of a man

une **herbe,** grass

hérissé, –e, bristling, covered

un **héritage,** heritage, inheritance

héroïque, heroic

le **héros,** hero

hésiter, hesitate

une **heure,** hour, o'clock; **à l'— dite,** at the appointed hour; **à l'—,** by the hour, (in) an hour; **à — fixe,** at regular hours, according to schedule

heureusement, happily, fortunately

heureu-x, –se, happy, fortunate

heurter, strike

hier, yesterday

hirsute, shaggy, rough

une **histoire,** story, history

hocher, toss, shake; **— la tête,** shake one's head

hollandais, –e, Dutch

un **homme,** man

un **honneur,** honor; **—s de l'impression,** honors of the press

la **honte,** shame

un **hôpital,** hospital; — **d'é-vacuation,** clearing station (*for the wounded*)

un **horizon,** horizon

hors, out, outside, out of; — **d'usage,** out of use

hôte, –sse, host, guest, hostess

le **hublot,** scuttle, port holes (*of a boat*); *tr.* windows

huit, eight

la **huitaine,** eight days, week

la **hulotte,** wood owl

humain, –e, human

une **humanité,** humanity

une **humeur,** mood, temper; **bonne** *or* **belle —,** cheerfulness

humide, wet, damp

humiliant, –e, humiliating

humilier, humiliate

hurler, yell

une **hypothèse,** supposition

I

ici, here

une **idée,** idea, mind; **changer d'—,** change one's mind; **une riche —,** a fine idea

une **idole,** idol

ignorer, know nothing of

il, he, it; there

une **illumination,** illumination, light

illustre, illustrious, famous

une **image,** picture

imaginaire, imaginary

imaginer, imagine

immobile, immovable, motionless, still

immobilisé, delayed, kept waiting, kept standing

une **immobilité,** inaction, immobility

s'**impatienter,** become impatient

impeccable, faultless

imperméable, waterproof

importer, be of importance, matter; **n'importe,** no matter, never mind

imposant, –e, imposing, impressive

impotent, –e, powerless, infirm, crippled

une **impression,** impression, printing; **de l'—,** of being printed

impressionnable, impressionable, impressible, sensitive

impressionnant, –e, impressive, inspiring, moving

improviste: à l'—, unawares, unexpectedly

inaugurer, inaugurate, begin

un **inconvénient,** inconvenience, drawback

une **indépendance,** independence

indiqué, –e, indicated

individuel, –le, individual

une **infanterie,** infantry;

coloniale, colonial troops;
— **de marine,** marines

infirmi-er, –ère, hospital attendant, nurse

un **ingénieur,** engineer (*civil engineer*)

ingénieu-x, –se, ingenious

s'**initier (à),** initiate oneself, be initiated

inné, –e, innate

innombrable, innumerable

une **inondation,** flood

inondé, –e, inundated, flooded

inouï, –e, unheard of

inquiéter, worry, disturb, make anxious; **s'—,** worry, be anxious

inscrire, inscribe

un **insigne,** badge, sign, emblem

une **insistance,** insistence

insister, insist

insolite, unusual

inspirer, inspire

installer, place, install, put, settle, set up; **s'—,** get settled, seat oneself

instantané, –e, instantaneous; **un —,** a snapshot (*photo.*)

instruire, instruct, drill

une **intendance,** *f.* Commissariat, quartermaster corps

intéresser, interest

un **intérêt,** interest

intérieur, –e, interior; l'—, interior, home, inside; à l'—, inside, *also* rear of the lines (*in contrast to the front*)

interpeller, question

un **interprète,** interpreter. *See* **ami**

interroger, question

un **interstice,** opening

intimider, frighten

intrépide, intrepid, fearless, courageous

une **intrépidité,** intrepidity

intriguer, puzzle

inutile, useless

inventer, invent

inviter, request

ira, *fut. of* **aller; irait,** *conditional of same verb*

isolé, –e, alone, isolated, cut off; **des —s,** stragglers

J

Jack-Johnson. *See* **marmite**

jalou-x, –se, jealous

jamais, ever; **ne —,** never

la **jambe,** leg

le **jardin,** garden

jaune, yellow

Jeanne d'Arc, Joan of Arc

jeter, throw; **se —,** throw oneself

le **jeu,** play, game, trick

jeudi, Thursday

jeune, young; **—s gens,** young men

la **jeunesse,** youth

la **joie,** joy

joindre, join

joint, -e, joined; **ci- —,** (here) enclosed

joli, -e, fine, pretty

joliment, "jolly well," extremely, mighty

la **joue,** cheek; **la — en feu,** with flushed cheek

jouer, play; **— aux soldats,** play soldiers; **— à la guerre,** play war

le **jour,** day, daylight; **par —,** by *or* (in) a day; **le petit —,** daybreak; **les petits —s,** short days; **huit —s,** a week

le **journal,** daily paper

la **journée,** day

juger (de), judge, think of, imagine; **à en — par,** judging from

juillet, *m.* July

juin, *m.* June

la **jumelle** *or* **les —s,** (field) glasses (*for* **lunettes jumelles,** twin glasses)

le **jupon,** skirt, kilt

jurer, swear

jusque, jusqu'à, till, until, as far as, to, up to, even; **jusqu'ici,** up to here, till now; **—-là,** up to there, up to that time

juste, just, exact, right; *adv.* just, exactly; **y voir —,** see clearly

justement, exactly, it just happens that

K

le **képi,** soldier's cap

le **kilomètre,** kilometer (*about 3280 feet*)

le **Kronprinz,** crown prince (*oldest son of the German kaiser*)

L

là, there; **—-bas,** yonder, over there; **par —,** there; **—-dessus,** above there, thereupon; **de —,** hence. *See* **dedans, haut, jusque**

labourer, plow, rip (open)

le **laboureur,** plowman

le **lacet,** lace

lâcher, loose, let go

laid, -e, ugly, homely, plain

la **laine,** wool

laisser, let, allow, leave. *See* **peau**

le **lait,** milk

le **lambeau,** morsel, strip, fragment, piece; **par —,** piece by piece

lancer, throw, fling, say *or* shout sharply; **se —,** throw oneself, spring, dash. *See* **fusil**

la **lande,** heath, moor

le **langage,** language

la **laque,** lacquer

large, broad, wide; **le —,**

the open sea; **au —,** off
shore; **prendre le —,
pousser au —,** make for
the offing

la **larme,** tear

le **laurier,** laurel

la **leçon,** lesson

la **légende,** legend

lég-er, -ère, light, slight,
swift

légèrement, lightly,
slightly, swiftly

le **légionnaire,** soldier of the
Foreign Legion

le **lendemain,** next day, day
after

lent, -e, slow

lentement, slowly

**lequel, laquelle, lesquels,
lesquelles,** which, who,
whom, that

la **lettre,** letter

leur, their, them, to them

lever, raise; **se —,** rise; **le
jour se lève,** the day
dawns

la **lèvre,** lip

la **liaison,** connection, communication (*milit.*),
junction

la **liberté,** liberty

libre, free

le **lieu,** place; **au — de,** in-
stead of

le **lieutenant,** lieutenant

la **ligne,** line, firing line,
front line. *See* **section**

le **liquide,** liquid; **—s en-**

flammés, burning liq-
uids (*milit.*)

lire, read

le **liséré,** edge, border, stripe

la **lisière,** border, edge (*of a
wood*)

le **lit,** bed

littéralement, literally

le **livre,** book

la **localité,** locality, place

logé, -e, housed, quar-
tered, put up

loger, live, stay, quarter,
billet

le **logis,** house, dwelling

loin (de), far, far off; **au
—,** far off; **de — en —,**
at long intervals, wide
apart

lointain, -e, distant

Londres, London

long, -ue, long; **le — de,**
along; **de —,** in length

longer, go along, travel
along

longtemps, a long time,
long

Lorrain, -e, native of Lorraine

lourd, -e, heavy, clumsy

le **loustic,** wag, joker

lu, -e, *p.p. of* **lire,** read

la **lueur,** gleam, flash

lugubre, lugubrious, dismal

lui, to him, to her, him,
her; *emphatically* he, it

luire, gleam, glisten, flash

la **lutte,** struggle; **de haute —,** by main force

le **luxe,** luxury

M

la **machine,** machine, motor car, flying machine

magnifique, magnificent

mai, *m.* May

la **main,** hand

maintenant, now

maintenir, maintain, support

mais, but; **— si,** yes, I (you, they . . .) do

la **maison,** house

le **maître,** master; *adj.* **maître, -esse,** chief, main; **la —sse branche,** the main branch

le **major,** physician, surgeon (*milit.*), major. *See* **commandant**

mal, badly, ill; **pas — de,** a good many, not a little

le **mal,** ill, evil, damage, harm

malgré, in spite of; **— tout,** notwithstanding; **— que,** though

le **malheur,** misfortune, sorrow, bad luck

malheureusement, unfortunately

malheureu-x, -se, unfortunate, unhappy

malin, -e, clever, malicious, shrewd; **oh ! les —s !** the clever rogues!

la **manche,** sleeve

la **Manche,** English Channel

le **manchon,** cover (*for a cap*)

le **manège,** trick, maneuver, move

manger, eat

manier, handle

la **manière,** manner, way

la **manœuvre,** maneuver, drill, move

manœuvrer, maneuver, drill, handle, act

manquer, fail, miss, be missing; **— de,** lack; **rien ne nous manque,** we lack nothing; **— au rendez-vous,** fail to turn up

le **marchand,** merchant; **bateau —,** merchantman, trading ship

marchander, bargain, beat down (the price)

la **marchandise,** merchandise, goods

la **marche,** march

marcher, march, advance

le **maréchal,** field marshal

le **mari,** husband

la **marine,** navy

le **marmitage,** shelling (*slang*)

a **marmite** (*slang*), heavy shell, " Jack Johnson "

marmiter, shell (*with " Jack Johnsons "*)

la **marque,** mark, stamp,

brand, make; **de —
américaine,** of American
make

marquer, mark, stamp,
note, indicate; **— les
coups,** observe where the
shells fall

la **marraine,** godmother

mars, *m.* March

marteler, hammer

le **martyre,** martyrdom, agony; **un vrai —,** a real
agony

la **mascotte,** mascot

le **masque,** mask

la **masse,** mass, bulk

masser, mass

le **massif,** clump (*of trees*)

le **matin,** morning; **un beau
—,** some fine day

mauvais, –e, bad, ill, evil

le **mécanicien,** engineer, ma-
chinist

mécanique, mechanical;
piano —, automatic
piano

la **mécanique,** mechanics, machinery

le **mécanisme,** mechanism,
machinery

la **médaille,** medal; **— militaire,** military medal (*a
French decoration for
bravery*)

médaillé, –e, rewarded
with a medal

le **médecin,** physician

méditer, meditate

meilleur, –e, better

mélancolique, melancholy

le **mélange,** mixture

la **mêlée,** close fight

même, same (*before the
noun*), very (*after the
noun*); *adv.* even; **tout
de —,** just the same.
See **quand**

la **menace,** threat

menacer, threaten

le **ménage,** housekeeping

ménager, spare, have *or*
take care of, bring about,
prepare

la **ménagère,** housekeeper

menteu-r, –se, liar

la **menthe,** mint; **crème-de-
—,** a liquor made of
mint; nickname of a tank

mentir, lie; **faire —,** give
the lie

méprisable, contemptible

la **méprise,** mistake, error

la **mer,** sea; **— du Nord,**
North Sea. *See* **flotte**

merci, thanks; **Dieu —!**
thank God! **— de,**
thanks for

la **mère,** mother

mériter, merit, deserve; **—
de la patrie,** show one-
self worthy of one's
native land

la **merveille,** wonder; **à —,**
wonderfully

merveilleu-x, –se, wonderful

la **messe**, mass; **grand'**—, high mass

messieurs, *pl. of* **monsieur**, gentlemen

la **mesure**, measure; **à** — **que**, according as, in proportion as

mesurer, measure

métallique, metallic

méthodiquement, methodically

le **métier**, business, work, job, profession; **faire son** —, attend to one's business; **de son** —, by trade, by profession; **être du** —, be in the business

le **mètre**, meter (*French yard*, *39½ inches*); **à vingt** —**s** **l'une de l'autre**, about sixty-five feet apart

mettre, put, place, lay, take, spend; — **en ordre**, set in order; **se** — **à**, begin to; **se** — **à la fenêtre**, go *or* stand at the window; **se** — **de la partie**, join in. *See* **garde**, **genou**

les **meubles**, furniture

mi, –**e**, half. *See* **côte**

midi, noon

la **miette**, crumb, piece; **réduire en** —**s**, tear to bits, break in splinters

mieux, better; **de mon** —, to the best of my ability;

faire de son —, do one's best; **en attendant** —, waiting for something better; **du** — **que l'on peut**, as best one can; **tant** —, so much the better

mignon, –**ne**, cute, cunning

le **milieu**, middle; **en plein** —, right in the middle

militaire, military

mille, thousand; **des** — **et des** —, thousands upon thousands

millier, thousand

la **mimique**, dumb show

la **mine**, mine

minuit, midnight

minuscule, tiny, small

la **minute**, minute; **un coup à la** —, a shot a minute; **d'une** — **à l'autre**, at any moment

le **mioche** (*fam.*), little child, kiddy

le **miroir**, mirror

misérable, wretched, contemptible

les **misères**, troubles

la **mission**, mission; **en** —, on a mission

la **mitaine**, mitten

mitrailler, sweep with shot *or* shell, shoot down

la **mitrailleuse**, machine gun

la **mode**, style, fashion

modeste, modest

le **moine**, monk

moins, less; au —, du —,
at least; rien de moins,
nothing less; ne ... pas
—, none the less

le mois, month

la moisson, harvest

la moitié, half; à —, half

le mollet, calf

la molletière, puttee

le moment, moment; au —
où, at the moment when

le monde, world; tout le —,
everybody

le monoplan, monoplane

le monstre, monster

monter, climb; faire —,
raise, take up, take
upstairs. See garde

montrer, show

moral, morale, spirits

le morceau, morsel, piece,
fragment

mordre, bite

mort, -e, dead; un —, a
dead man or body. See
faire

la mort, death; la — dans
l'âme, in despair

mortel, -le, mortal, deadly

le mortier, mortar; — de
tranchée, trench mortar

le mot, word; — d'ordre,
password (milit.); bon
—, pun, joke

le moteur, motor

la mouche, fly, bull's eye;
faire —, hit the bull's eye

le mouchoir, handkerchief

le moulinet, little mill; faire
le —, twirl or swing
(drumsticks), make flour-
ishes

mourant, -e, dying, dying
person

mourir (de), die of, from.
See envie

le mousse, ship's boy, cabin
boy

mouvant, -e, moving, rolling

le mouvement, movement

le moyen, means

moyen, -ne, middle; le —
âge, the Middle Ages

muet, -te, dumb

le mulet, mule

munir, provide

le mur, wall

la muraille, wall

murmurer, whisper

le musée, museum

musicien, -ne, musician

la musique, music, band

le mystère, mystery

mystérieu-x, -se, mysteri-
ous

N

narrer, narrate, tell

natal, -e, native, natal;
maison -e, birthplace

naturellement, naturally

ne ... pas, not, no, none,
not any; ne ... que,
only

né, -e, p.p. of naître, born

nécessaire, necessary

nécessiter, necessitate, make necessary

la neige, snow

neiger, snow

le nerf, nerve

nerveu-x, –se, nervous

net, –te, neat, plain, clear; arrêter —, stop short; tuer —, kill outright

nettoyer, clean, cleanse, clear

neuf, nine

neu-f, –ve, new

le nez, nose

ni, neither, nor

le nid, nest

N^{ième}, *the sign of an indefinite number. Pronounce as letter* N + ième (ɛnjɛ:m)

noir, –e, black, dark; le —, dark, darkness

le nom, name

le nombre, number; bon — de, a great many; être du —, be, count among

nombreu-x, –se, numerous, many

le nord, north

noter, note, notice

notifier, notify (of), announce, indicate, inform

nourri, –e, nourished, fed, thick; fusillade bien —e, lively fusillade

nouv-eau, –elle, new; de —, anew, again, once more

la nouvelle, news

novembre, *m.* November

le nuage, cloud

la nuance, shade, hue

la nuit, night

nul, –le, no, not any

le numéro, number

O

obéir (à), obey

un objectif, objective (*milit.*)

un objet, object, reason

un observateur, observer, scout

un observatoire, lookout

une obstination, obstinacy, stubbornness, insistence

un obus, shell

une occasion, opportunity

un océan, ocean; en plein —, on the open seas

occupé, –e (de), occupied, busy (with); — à *before infinitive tr. by present participle*

occuper, occupy

octobre, *m.* October

un œil, eye; ouvrir l'—, keep one's eyes open, watch

une œuvre, work

offensi-f, –ve, offensive

un officier, officer; — mitrailleuse, machine-gun officer

offrir, offer

un oiseau, bird; cet —-là, that fellow

une ombre, shadow, shade, darkness

on, one, people, they, we

onze, eleven

un **optimisme,** optimism

optimiste, optimistic

l'**or,** *m.* gold; **d'—,** golden

or, now (*narrative*)

ordinaire, ordinary; **en temps —,** usually, ordinarily

un **ordre,** order; **— du jour,** general orders, despatches; **mettre — à,** set in order

une **oreille,** ear; **sur l'—,** tipped on the ear (*a cap*)

un **orgueil,** pride

ou, or

où, where, when

oublier, forget, fail

un **ouragan,** whirlwind, hurricane

ouste *or* **oust !** out of here !

outre, further, beyond; **en —,** besides, moreover; **— de** *or* **en — de,** besides, in addition to

ouvrir, open; **— l'œil,** keep an eye open. *See* **ban**

P

la **paille,** straw

le **pailler,** straw stack

la **paire,** pair, couple

paisible, peaceful, quiet

paisiblement, peacefully

la **paix,** peace

pâle, pale

la **palme,** palm, victory

le **panorama,** panorama, sight

panser, bandage, dress

le **pantalon,** trousers

Pantruche (*slang*), Paris

le **papier,** paper; **— peint,** colored paper

le **paquebot,** steamer, liner, boat

le **paquet,** package, bundle

par, by, from, through, in, with; **— la gauche,** from the left, to the left

paraître, appear

paralyser, paralyze

le **parapet,** parapet, breastwork

parce que, because

parcourir, travel, cover, go through

pardonner, pardon, forgive

pareil, –le, alike, such, similar

parfait, –e, perfect

parfaitement, perfectly

parfois, sometimes

le **parfum,** perfume

le **pari,** bet, wager

parisien, –ne, Parisian

parler, speak, talk; **faire — de soi,** be talked about

parmi, among

la **paroi,** side, wall

la **paroisse,** parish

la **parole,** speech, word, parole, pledged word

la **part,** part, share; **à — ça,** aside from that; **d'autre —,** on the other hand;

de toutes —s, on all sides, in every direction; **quelque —,** somewhere

le **parti,** party, side, part; **mon — est pris,** my mind is made up; **un autre —,** another possibility

particuli-er, -ère, particular, special; **en —,** in particular

la **partie,** part, share, game; **faire — de,** belong to

partiellement, partly

partir, start, be off, leave, go away; be fired (*a shot*)

la **partition,** partition, score, book of music

pas, *see* **ne; — de,** no, not

le **pas,** step; **faire un —,** take a step; **à trois —,** three steps distant

le **passage,** passage, passing; **de —,** passing; **au —,** on the way

le **passager,** passenger

passer, pass, spend, give; go around; **— sur,** run over; **se —,** happen, take place, be effected; **y —,** die, be in for it; **on se passait des histoires,** stories were told

le **passeur,** ferryman

le **patelin** (*slang*), home

paternel, -le, paternal

pathétique, exciting, moving

la **patrie,** country, native land

la **patrouille,** patrol; **en —,** on patrol duty; **partir en —,** go on patrol duty

la **patte,** paw (*slang for* foot)

pauvre, poor

pavoisé, -e, decked with flags

payer, pay

le **pays,** country; **— de personne,** no man's land; **le —, la —e,** countryman *or* countrywoman

la **peau,** skin; **y laisser sa —,** die

peindre, paint, depict

la **peine,** grief, trouble, difficulty; **à —,** scarcely, hardly; **faire — or de la —,** give pain, hurt (feelings); **faire — à voir,** be pitiful to look at

peint, -e, *p.p. of* **peindre,** painted

le **peintre,** painter

le **pelage,** coat, fur

pêle-mêle, pell-mell, helter-skelter

le **pèlerinage,** pilgrimage; **venir** *or* **aller en —,** make a pilgrimage

le **peloton,** platoon (*milit.*)

penaud, -e, abashed, shamefaced

pendant, during; **— que,** while

pendre, hang

pénible, painful, difficult, hard

péniblement, painfully

la **pensée,** thought

penser, think

pensi-f, –ve, pensive, thoughtful

la **pente,** slope

le **pépère** (*slang*), old man

percer, pierce, cut through, break through

percevoir, perceive, notice

perché, –e, perched

perdre, lose; **se —,** lose oneself, disappear

le **père,** father

le **péril,** peril, danger

périr, perish

le **périscope,** periscope, trench mirror

permettre, permit, allow, let

la **permission,** permit, leave of absence, furlough; **en —,** on leave, on furlough

perplexe, perplexed, puzzled

persistant, –e, persisting, persistent

le **personnage,** person, character

la **personne,** person; **ne . . . —,** nobody, no one

personnel, –le, personal; **le —,** attendants, staff

la **perspective,** prospect

persuader, persuade

la **perte,** loss

pesant, –e, heavy, weighty

peser, weigh, be heavy; **— sur,** bear down upon, hang over

le **pétard,** firecracker, bomb, grenade

petit, –e, little, small. *See* **jour**

peu, little; **— à —,** little by little; **à — près,** nearly, almost, not very (*before adverb*)

le **peuple,** people

la **peur,** fear; **avoir —,** fear, be afraid; **faire —,** frighten

peureu-x, –se, afraid, shy

peut-être, perhaps

la **photographie,** photograph

photographier, photograph

photographique, pertaining to photography. *See* **chambre**

la **physionomie,** appearance, countenance

la **Picardie,** Picardy

la **pièce,** play; gun; **par —,** each gun

le **pied,** foot; **— à —,** foot by foot; **sur —,** on one's feet *or* legs. *See* **plein**

le **piège,** trap

la **pierre,** stone

piétiner, trample

piller, pillage, plunder

le **pilote,** pilot

piloter, pilot

le **pin,** pine

piquer, bite, prick, sting; — **un plongeon,** take a plunge

la **piqûre,** bite; — **antitétanique,** antitetanic injection

pire *adj.,* **pis** *adv.,* worse, worst; **tant pis,** so much the worse

le **pistolet,** pistol

pittoresque, picturesque

la **place,** place; **à notre —,** in our place; **sur —,** on the spot

placide, placid

se **plaindre (de),** complain (of)

la **plaine,** plain

la **plainte,** complaint

plaire, please

plaisanter, poke fun at

la **plaisanterie,** joke

le **plaisir,** pleasure; **faire — à,** give pleasure to; **se faire un — de,** take pleasure in

le **plancher,** floor

planer, hover, soar

le **plateau,** plateau, upland

plein, -e, full; **de — pied,** on the level with; **en — champ,** in the open; **en — jour,** in full daylight; **en —e nuit,** in the dead of night; **en —e offensive,** in the midst of the offensive. *See* **milieu**

pleurer, weep

pleuvoir, rain, shower, fall, pour in

le **pli,** fold, message, note

le **plongeon,** plunge

la **pluie,** rain

la **plume,** feather, feathers

la **plupart,** most, greatest part, majority

plus, more; **ne . . . —,** no more, no longer; **de —,** en **—,** more, moreover; **de — en —,** more and more; **des —,** most; **— de,** more than; **— . . . —,** the more . . . the more; **qui — est,** moreover

plusieurs, several

plutôt, rather; **— que** *or* **de,** rather . . . than

la **poche,** pocket

la **poésie,** poetry

le **poète,** poet

poétique, poetical

poignant, -e, sharp, poignant, pathetic

la **poignée,** handful; **— de main,** handshake; **donner une — de main,** shake hands

le **poilu,** French soldier (*from* **poilu, -e,** hairy, *literally:* "a man with hair on his body," a real man, a courageous man, *hence* a soldier)

le **poing,** fist; **dormir à —s fermés,** sleep soundly

le **point**, point, spot, part; **de tous les —s du monde,** from all parts of the world; **ne —,** no, not, not at all. *See* **chute**

la **pointe**, point, pike. *See* **casque**

la **poitrine**, chest

la **poivrière**, pepper box, turret; **toit à —s,** roof with turrets on it

poli, -e, polite

polonais, -e, Pole, Polish

polyglotte, polyglot, a person with the knowledge of several languages, a book written in several languages

le **pommier**, apple tree

le **pompon**, pompon, tuft; **les —s rouges,** the red-caps (*Highlanders*)

le **pont**, bridge, deck (*of a boat*); **—-levis,** drawbridge

la **porte**, door

la **portée**, importance, range, bearing, reach; **à la — de la main,** at hand

porter, carry, take, wear, bear; **se — vers,** turn *or* march towards; **— malheur,** bring ill luck

la **portière**, carriage door *or* window

posséder, possess

le **poste**, post; **— de secours,** first aid dressing station (*milit.*); **la —,** post office

le **pot**, jar

la **poudre**, powder

le **poumon**, lung

pour, for, to, in order to *or* that; **— que,** in order that

pourquoi, why

la **poursuite**, pursuit; **à la — de,** after

poursuivi, -e, pursued

poursuivre, pursue, run after, continue, go on; **se —,** continue

pousser, push, grow, utter. *See* **large**

pouvoir, can, may, be able; **cela se pourrait,** that might be; **on ne peut mieux,** in the best possible way

pourvu que, provided that

la **prairie**, meadow

pratique, practical

préalable, preliminary, previous

précédent, -e, preceding

précieu-x, -se, precious

précipiter, precipitate, hurry; **se — sur,** rush at; **les coups se précipitent,** the shots follow each other in quick succession

se **prélasser**, take one's ease

le **prélude**, beginning

premi-er, -ère, first. *See* **soldat**

prendre, take; — **pour**, mistake for. *See* **clef, faction, garde, large, part**

le **préparatif**, preparation

préparer, prepare; **se —**, prepare oneself, get ready

près, near; **à peu —**, almost, nearly; **de —**, from near by

présenter, present, offer; **se —**, present oneself, be offered, occur

presque, almost, nearly

presser, press, crowd, clasp, be urgent, urge *or* urge on; **se —**, crowd, hasten; **ça presse**, it is urgent

prêt, **-e**, ready

prétendre (**à**), pretend (to), claim

prêter, lend; **se —** (**à**), allow, favor, submit (to)

la **preuve**, proof; **faire ses —s**, show what one can do

prévenir, warn, forestall, precede

la **prévision**, forecast, anticipation

prévoir, foresee

prier, pray, beg; **se faire —**, require pressing *or* urging

la **prière**, prayer, request

la **prime**, prize, premium; **faire —**, take the prize

la **princesse**, princess

le **printemps**, spring

pris, **-e**, *p.p. of* **prendre**, taken

la **prise**, taking, capture; **aux —s avec**, at grips with

prisonni-er, **-ère**, prisoner

le **prix**, price, cost; **à tout —**, at any cost; **au — de**, at the price of

le **problème**, problem

le **procès**, trial

prochain, **-e**, next, near, neighboring, not remote

le **prodige**, prodigy, wonder

prodigue, lavish

profiter (**de**), profit by, take advantage

profond, **-e**, deep

projeté, **-e**, projected, planned

se **prolonger**, be prolonged, extend, last

la **promenade**, walk

se **promener**, walk; **se faire —**, be taken about

promettre, promise

la **promptitude**, promptitude, quickness

le **prophète**, prophet

propice, propitious, favorable

proposer, propose

propre, clean

le **propriétaire**, owner

protéger, protect

la **proue**, prow

la **prouesse,** prowess, feat, exploit

prouver, prove

le **proverbe,** proverb

prussien, –ne, Prussian

la **Pucelle,** the Maid (*Joan of Arc*)

puis, then

puissant, –e, powerful

le **purgatoire,** purgatory

purger (de), clear, cleanse (of)

les **Pyrénées,** *f.* Pyrenees (Mountains)

Q

la **qualité,** quality; **en — de,** in the capacity of

quand, when; **— même,** all the same, notwithstanding

quant à, as to *or* for

quarante, forty

le **quart,** quarter, watch

le **quartier,** quarter; **—- général,** general headquarters

quatre, four

le **quatre-cent,** shell of 400 millimeters

que, that, which, whom, than, as, how, when, before

quel, –le, which, what, how, what (a)

quelque, any, some, a few; **à — 3000 mètres,** about 10,000 feet away

quelquefois, sometimes

quelque part, somewhere

qu'est-ce que? what? **qu'est-ce qui?** what?

qui, that, who, whom, which; **à — la faute?** whose fault is it?

quinze, fifteen

quitte, quit, even

quitter, leave

quoi, what; **de —,** in sufficient quantity; **de — fumer,** something to smoke; **il y avait de —,** there was a reason for it; **sur —,** thereupon

quoique, though, although

quotidien, –ne, daily

R

rabattre, bring down, pull down, turn down; **— le gibier,** hunt out the game

se **raccrocher (à),** cling (to)

la **race,** race, stock

raconter, relate

radieu-x, –se, beaming, all smiles

aide, stiff; **— mort,** stone dead

railler, joke, jest

la **raison,** reason; **avoir — de,** have the best of; **par — démonstrative,** by demonstration

râler, have the death rattle, breathe one's last

se **rallier** (à), rally, join

rallumer, relight

ramasser, pick up

la **rame**, oar

ramener, take *or* bring back, keep close to

ramper, creep, crawl

la **rancune**, spite, ill will, anger

le **rang**, rank

la **rangée**, row

se **ranimer**, revive, cheer up

rapidement, quickly

rappeler, remind, recall; **se —**, remember

le **rapport**, connection, bearing

rapporter, bring back, relate

rapproché, **-e**, near, brought nearer

rare, rare, unusual, few, scarce

rarement, seldom, rarely

le **ras**, level; **à** *or* **au — de**, level, even with

rauque, hoarse, unmusical

ravauder, darn, bustle about

ravigoter (*fam.*), revive, give comfort *or* courage

le **ravin**, ravine

le **ravitaillement**, supplies

ravitailler, replenish, revictual

la **réalité**, reality

se **rebiffer**, kick, resist, show resentment

recevoir, receive

réciproque, reciprocal, mutual

réciter, recite, say, tell

recommencer, do it again

récompenser, reward

réconfortant, **-e**, comforting

reconnaissant, **-e**, grateful

reconnaître, recognize

recouvert, **-e**, *p.p. of* **recouvrir**, covered

se **récrier**, exclaim, protest

le **recteur**, rector, priest

recueilli, **-e**, meditative, thoughtful

le **recul**, retreat, retirement

reculer, withdraw, retreat

redescendre, come down again

redevenir, become again

redoublé, **-e**, redoubled; **frapper à coups —s**, hit hard *or* again and again

redoutable, formidable, redoubtable

la **redoute**, redoubt

redouter, dread, fear

réduire, reduce. *See* **miette**

réduit, **-e**, reduced

se **refaire**, recover, retrieve one's losses; **se — à**, get again used to, get back to

refiler, hurry back

refluer, flow back, ebb

se **reformer**, form again

refouler, thrust, push back

le **refrain,** tune

réfugié, –e, refugee

refuser, refuse

le **regard,** look. *See* **travers**

regarder, look, face

régimentaire, regimental

réglementaire, regular, according to regulations

le **regret: avoir le —,** be sorry

le **rein,** back. *See* **coup**

rejoindre, join

se **réjouir,** rejoice

relati-f, –ve, relative, comparative

relativement, relatively, comparatively

se **relayer,** take turns, relieve each other

la **relève,** relief (*milit.*), relieving party, time for relief

relever, relieve, take note of

la **religieuse,** nun, sister

remarquer, remark, notice

remédier (à), remedy

remercier, thank

remettre, replace, bring back, hand, deliver; se — recover; se — en route, set out again on one's way

la **remise,** delivery, bestowal

remonter, go up; — de, come from

le **remords,** remorse

le **remous,** eddy

remplacer, replace

remplir (de), fill (with); — son rôle, play one's part

remporter, win (*a victory*)

remuer, move

rencontrer, meet

le **rendez-vous,** meeting place, appointment. *See* **manquer**

rendre, make, cause to be (*with adj.*), give back, restore; — les honneurs, present arms (*milit.*); — un son, give forth a sound; se — à, go to; se —, surrender; se — à l'évidence, admit the evidence

le **renfort,** reënforcement

le **renom,** renown

renommé, –e, renowned

renoncer (à), renounce, give up

renseigner, inform; se — (sur), get information (about)

rentrer, come home, return, bring in, put up *or* back, repack

renverser, turn over, throw down

reparler, speak again

la **répartie,** rejoinder, repartee; avoir toujours la —, have a quick rejoinder

repartir, go away again, start again

repasser, review

repérer, find out, locate (*milit.*)

le **répit,** respite

replier, fold again; **se —,** fall back, retreat

répondre, answer, reply, respond

la **réponse,** answer, reply

le **repos,** rest; **au —,** at rest

se **reposer,** rest; **— sur ses lauriers,** take it easy (*after a success*), rest on one's laurels

repousser, push back

reprendre, retake, resume

représenter, represent

la **reprise,** recapture; **à plusieurs —s,** at different times

réquisitionné, –e, requisitioned

le **réseau,** network, entanglements

la **réserve,** reserve; **les —s,** reserves (*milit.*)

résister, resist

résolu, –e, *p.p. of* **résoudre,** resolved; *adj.* resolute, determined

respectable, respectable, fair; **de calibre —,** of a fair size

respecter, respect

respectueu-x, –se, respectful. *See* **distance**

la **respiration,** breath

ressembler, resemble

la **ressource,** resource

restauré, –e, restored

le **reste,** remainder

rester, stay, remain; **il reste à faire,** there *or* it remains to be done

le **résultat,** result

le **retard,** delay

retenir, keep, hold, delay

retentir, sound, ring

se **retirer,** withdraw

retomber, fall down again

le **retour,** return; **aller et —,** return trip

retourner, go back, return

la **retraite,** retreat

retrouver, find again, find, meet again

réunir, reunite, join again, bring together

réussir, succeed

le **rêve,** dream

le **réveil,** reveille, awakening

réveiller, wake up, awaken; **se —,** wake up

le **revenant,** ghost

revenir, come back, return, fall to; **— à soi,** recover one's senses; **n'en pas —,** not to be able to believe, be utterly astonished; **— à,** fall to the lot of

rêver, dream

revivre, revive, live again

revoir, see again

la **revue,** review, parade

le **rez-de-chaussée,** ground floor

le **Rhin,** Rhine

riche, rich

le **rideau,** curtain

rien, (ne) ... —, nothing, anything; **— que,** only, merely; **— (de) moins que,** nothing less than

rigide, stiff, rigid

la **riposte,** reply, sharp reply

riposter, reply sharply, render blows

rire (de), laugh (at); **soldats pour —,** mock soldiers

le **risque,** risk, danger; **au — de,** at the risk of

risquer, risk, run the risk

la **rive,** shore, bank

robuste, robust

le **roi,** king

le **rôle,** part (*in a play*), character; **remplir un —,** play a part

romain, –e, Roman

le **roman,** novel

romantique, romantic

rompre, break

rompu, –e, *p.p. of* **rompre,** broken

la **ronde,** round (*milit.*), *also* a children's dance; **faire sa —,** go one's round (*milit.*)

ronronner, purr, hum

rose, pink, rosy

le **rosbif,** roast beef

le **rossignol,** nightingale

la **roue,** wheel

rouge, red

la **rougeur,** redness, red color, blush, flush

roulant, –e, rolling

rouler, roll, travel (*in a train*); **— à terre,** fall on the ground

la **route,** road, way; **en —,** on the way; **faire fausse —,** go the wrong way; **en — !** forward! take your seats!

rou-x, –sse, ruddy, reddish, auburn

le **ruban,** ribbon

rude, hard, rough, fierce, sturdy; **une — poignée de main,** a hearty handshake

la **rue,** street

la **ruine,** ruin

ruisseler, stream, trickle down

la **rumeur,** rumor, noise, rumble

russe, Russian

S

le **sabot,** hoof

le **sac,** bag, knapsack; **—-à-terre,** sandbag

sachons, *imper. of* **savoir**

sacrifier, sacrifice, give up

sage, wise, good

saignant, bleeding, underdone (*of meat*)

sain, -e, sound, healthy, safe; — et sauf, safe and sound

saint, -e, sainted, holy, sacred

salir, soil

le salon, drawing-room, art exhibition

saluer, salute, honor (the dead)

le salut, salute, safety; faire un —, salute

la salve, volley, salvo

le sanctuaire, sanctuary

le sang, blood; —-froid, presence of mind, nerve

sanglant, -e, bloody

sanitaire, sanitary, medical; formation —, medical unit; train —, hospital train

sans, without

la santé, health; corps de —, medical staff, sanitary corps

le sapin, pine tree

la saucisse, " sausage," observation balloon

sau-f, -ve, safe. See sain

le saut, jump, fall, leap; au — du lit, on getting out of bed

sauter, jump, be blown up; faire —, blow up

sauvage, wild, savage

sauver, save; se —, run away; faire —, put to flight

savant, -e, clever

savoir, know, know how to, can (*before infinitive*); ne pas — bien, not to be sure; faire — à quelqu'un, let one know; je ne sais trop, I can hardly tell you; (*conditional*) saurait *with* ne *and infinitive*, will *or* can surely not

la scène, scene, stage; entrer en —, come on the stage

sceptique, skeptical, one who doubts

la science, science

scier, saw

sec, sèche, dry

sécher, dry

second, -e, second; les —s, second class (*in a train*)

secouer, shake

le secours, help, aid; porter —, bring aid, help

le secrétaire, writing-desk

le secteur, sector

la section, section, platoon; en ligne de —, in platoon columns (*milit.*)

la sécurité, security, safety

la semaine, week

semblable (à), like, alike

sembler, seem, appear

le sens, sense; — des affaires, business instinct

la sentinelle, sentry

sentir, feel; se —, feel oneself

sept, seven

septembre, *m.* September

le sergent, sergeant

sérieusement, seriously, in all seriousness

sérieu-x, –se, serious, grave; le —, seriousness, gravity

serré, –e, pressed, close, tight. *See* dent

serrer, press, tighten, close, clench

serviable, serviceable, obliging

le service, service, duty, unit; pour mon —, on my duty (*milit.*)

servir, serve; — à *or* de rien, amount to nothing, be of no use; se — de, make use of

seul, –e, alone, only, single; à lui —, alone, all by himself

seulement, merely, only

si, if, whether, so, yes, such; — les Français allaient venir, what if the French should come; — court qu'il soit, however brief it may be, though very brief

le siècle, century

le siège, siege, location, driver's seat

sien, –ne, his, hers; les siens, his people

le sifflement, whistling, hissing

siffler, whistle, hiss

le sifflet, whistle; coup de —, whistle, blowing of a whistle

signalé, –e, caught sight of, signaled, announced

le signe, sign; faire —, make a sign, wave, beckon

signer, sign; se —, make the sign of the cross

significati-f, –ve, significant, meaning

silencieu-x, –se, silent

le sillon, furrow, trail

simplement, simply

sinistre, sinister, ominous

sinon, otherwise, if not

sitôt, so soon; — que, as soon . . . as

sixième (VIième), sixth

la sœur, sister

soi, oneself. *See* dire

la soie, silk

la soif, thirst; avoir —, be thirsty

soigner, take care of

le soin, care; petits —s, devoted attentions

le soir, evening

le soixante-quinze, French field gun of 75 millimeters

le sol, ground

le soldat, soldier; premier —, *also* — de première classe, first-class soldier le soleil, sun; le coucher de —, sunset; le — couchant, the setting sun

sombre, dark

sombrer, sink, founder

la somme, sum; en —, in short

le sommeil, sleep, sleepiness

le sommet, summit

le son, sound; au — du clairon, at the sound of the bugle

songer (à), dream, think of

sonner, sound, ring, strike

le sort, fate

la sorte, kind

la sortie, going out, exit, sally; faire une —, break through (milit.)

sortir, go out, leave

soudain, suddenly

le souffle, breath

souhaiter, wish

souiller, soil, pollute

soulever, lift up; se —, rise up

la souquenille, slovenly clothes

la source, spring

sourire, smile

le sourire, smile

la souris, mouse

sournois, -e, sly, sneaking, uncanny

sous, under

le sous-lieutenant, second lieutenant

le sous-marin, submarine

le sous-officier, noncommissioned officer, sergeant

le sous-terrain, underground passage

soutenir, support, maintain, protect, cover (milit.)

le soutien, support, protection; en —, as a support (milit.); compagnies de —, support companies

se souvenir (de), remember

le souvenir, remembrance, memory

souvent, often

spécifier, specify

le spectateur, spectator

stopper, stop (said of a train or automobile)

la stratégie, strategy

stratégique, strategic

su, –e, p.p. of savoir, known

subir, undergo, submit to

substituer, substitute

le succès, success

successi-f, –ve, successive

le sud, south; au — de, south of

suffire, suffice

suffisamment, enough, sufficiently

suffisant, –e, sufficient

la Suisse, Switzerland

la suite, continuation, continuity; tout de —, at once

suivant, –e, following

suivre, follow

le **sujet,** subject; **à ce —,** on this subject, concerning this subject

superbe, magnificent

superstitieu-x, -se, superstitious

le **supplice,** suffering, torture

supplier, beg

supporter, support, endure

suprême, supreme, last

sur, on, upon, over, about, with, out of; **— ce,** thereupon. *See* **quoi**

sûr, -e, sure, certain, safe

sûrement, surely

le **surcroît,** addition, excess; **par —,** in addition

surhumain, -e, superhuman

surnommer, nickname

surprendre, surprise, take by surprise

surtout, above all, especially

survenir (à), happen, befall

survivant, -e, surviving

survoler, fly over

suspect, -e, suspected, suspicious

sympathique, kindly

syrien, -ne, Syrian (*native of Syria*)

T

le **tabac,** tobacco

le **tableau,** picture

le **tablier,** apron

taciturne, silent, reticent

la **taille,** stature, size, height

le **talon,** heel; **tourner les —s,** go away. *See* **coup**

le **tambour,** drum, drummer

tant, so much, so many, so, such a number; **secteur —,** such and such a sector; **— bien que mal,** as well as one might expect

le **tapage,** uproar, noise

tapageu-r, -se, noisy

taper, strike, hit, rap

tard, late

tarder, delay; **— à,** be long (*with present participle*); **ce qu'il nous tardait de savoir,** what we were longing to know

le **tas,** pile, number, crowd

le **taube** (*German*), dove, aeroplane

tel, -le, such, such a, such as; **tel ... tel,** like ... like, such ... such

la **télégraphie,** telegraphy; **— sans fil,** wireless telegraphy

téléphonique, telephone

téméraire, bold, daring; **un —,** a reckless fellow

le **témoin,** witness; **être — de,** witness

le **temps,** time, weather; **à —,** on time; **de — à autre,** from time to time; **entre —,** between times; **par gros —,** in stormy weather; **pas le —,** no time

tenir, hold, occupy, hold on *or* up, get hold of, keep; **— à,** be fond of, hold dear, want; **— à** (*with verb*), be anxious to; **— de,** belong to, be akin to; **— éveillés,** keep awake; **— dans,** be contained in; **qu'à cela ne tienne,** what of that; **un soldat . . . n'y tient plus,** a soldier . . . can no longer stand it; **tiens!** *or* **tenez!** well, halloo! look here! *See* **arrêt, chaud**

tenter, try, tempt, attempt

la **tenue,** uniform; **grande —,** full dress; **— de campagne,** field uniform

le **terme,** end

terminer, end

le **terrain,** ground

le **terrassement,** earthwork; **travaux de —,** work of digging trenches

la **terre,** earth; **à —,** on the ground

se **terrer,** dig in (*milit.*), burrow, cover *or* protect oneself, *also* lie flat on the ground

la **terreur,** fright

terrien, –ne, one who lives on land (*in contrast to* **un marin,** a sailor), land lubber

le **territorial,** territorial (soldier); **la —e,** the territorial army, *composed of men who are too old for service in the active army* (**l'active**) *or in the reserve* (**la réserve**)

la **tête,** head; **en —,** ahead, in front

le **thé,** tea

le **théâtre,** theater

tiens! *See* **tenir**

le **tiers,** third part

le **timbalier,** drummer

timidement, timidly

tinter, ring, toll

le **tir,** shooting, firing

le **tirailleur,** sharpshooter; **— algérien, marocain,** light-infantry soldier from Algeria *or* Morocco; **en —s,** as skirmishers

tirer, shoot, fire, draw, pull, extricate; **s'en —,** come off *or* out, recover, accomplish a task

le **tireur,** marksman, shooter

le **tocsin,** alarm bell

toi, you, thou; **bien à —,** yours truly (*at the end of a letter*)

la **toile,** cloth. *See* **ciré**

le **toit,** roof

toléré, –e, tolerated; **être —,** be permissible

la **tombe,** tomb

tomber, fall; **— de fatigue,**

be tired out, be overcome with fatigue; **cela tombe bien,** that happens most appropriately

Tommy, "Tommy Atkins" (*name for the British trooper*)

tonner, thunder, roar

le **tonnerre,** thunder

la **torpille,** torpedo; — **aérienne,** air torpedo

le **torse,** trunk, chest, side

le **tort,** wrong; **avoir** —, be wrong [sooner

tôt, soon, early; **plus** —,

touchant, -e, touching, affecting

touché, -e, struck, wounded

toujours, always, ever, still, in any case, at all events

le **tour,** turn; **à mon** —, in my turn; **jouer un** — **(à),** play a trick (on); **c'est à leur** —, it is their turn; **faire un** —, take a walk. *See* **demi**

la **tour,** tower

la **tourbe,** peat

le **tournant,** turn, bend, corner; **au** — **de la route,** at the bend of the road

tourner, turn, outflank; — **la tête à,** become the admiration of. *See* **talons**

la **Toussaint,** All Saints' day (*1st of November*)

tout, -e, all, every, any; — **un,** —**e une,** a whole . . . ; — **à fait,** entirely, exactly; — **à coup,** suddenly; — **à l'heure,** a while ago, presently; — **de suite,** all at once; — **là-haut,** right up there; — **le** *or* —**e la,** the whole; **tous les deux,** both; **tous les quatre mois,** every four months

la **trace,** track, mark, trace

traduire, translate

tragique, tragic

trahir, betray

le **train,** train, course, way, speed, pace, rate; **continuer son** —, go on, keep going on; **filer bon** —, go fast; **en** — **de,** in the act of. *See* **sanitaire**

le **traînard,** straggler

traîner, drag, draw, trail

le **trait,** fact, event, story

traître, -sse, treacherous

la **tranchée,** trench

le **transbordement,** transshipment, transfer

transformé, -e, transformed

transporter, transport, carry

trapu, -e, thickset, squatty

le **travail,** work

travailler, work

travers: à —, through, across; **de —,** askance cross

la **traversée,** crossing

traverser, cross, go through, travel over

trembler (de), tremble (with)

trentième, thirtieth

trépassé, –e, dead, deceased; **les —s,** the dead

le **trépied,** tripod, stand

tressaillir, thrill, start; **— d'enthousiasme,** be thrilled with enthusiasm

tricolore, tricolored

le **tricot,** knitted underwear. *See* **vareuse**

triomphal, –e, triumphant, triumphal

triomphant, –e, triumphant

le **triomphateur,** triumpher, victor

le **triomphe,** triumph

triompher, triumph

triste, sad

trois, three

troisième, third; **les —s,** third class (*in a train*)

la **trompe,** horn

tromper, deceive; **se —,** mistake, make a mistake; **se — d'adresse,** mistake one place for another; **— l'attente,** fill up the time

la **trompette,** trumpet

trop, too much, too many. *See* **s'éloigner**

le **trophée,** trophy

le **trou,** hole

la **trouée,** gap, opening; **faire des —s sanglantes,** open bloody gaps

la **troupe,** unit, troop, rank and file. *See* **casque**

trouver, find; **se —,** find oneself, be (*in reference to position or locality*)

tuer, kill

la **tunique,** tunic, coat

turc, –que, Turkish, Turk

le **tyran,** tyrant

U

un, –e, a, an, one; **l'— ... l'autre,** each other

un **uniforme,** uniform; **— de parade,** full dress (uniform)

unique, only

uniquement, only

un **unisson,** unison; **à l'—,** in unison, together

une **unité,** unit; **— combattante,** fighting unit

un **usage,** use, usage; **hors d'—,** out of use, past wearing

user, wear out; **— de,** use

une **usine,** factory

utile, useful

V

va, *pres. indic.* of **aller,** goes. *See* **aller**

la **vacance,** vacation

le **vacarme,** uproar, noise

la **vache,** cow

le **va-et-vient,** going and coming, motion to and fro

la **vague,** wave; — **d'assaut,** storming wave (*milit.*)

vaguement, vaguely

le **vaguemestre,** post-sergeant

vaillant, –e, valiant, gallant

vaincre, conquer, defeat

le **vainqueur,** victor, conqueror

la **valeur,** worth, courage

valide, valid

la **vallée,** valley

valoir, be worth, be comparable to (*with negation*); — **mieux,** be worth more, be better; **elle en vaut bien un autre,** it is as good as another; **en — la peine,** be worth the trouble, worth while; — **(à),** gain, win, procure for

vanter, praise; **se —,** boast

vaquer (à), attend to

la **vareuse,** short coat, coat; **une — de tricot,** a knitted sweater, jacket

vaste, vast, wide, large

la **vedette,** vedette, sentry, outpost

le **véhicule,** vehicle

la **veille,** eve; **avant-—,** day before the eve, two days before

la **veillée,** evening, evening meeting *or* company; **le soir à la —,** at the gathering around the lamp in the evening

veiller, watch, be on the watch, spend the evening, sit up

la **vendange,** grape-gathering; **faire la —,** gather grapes

venir, come; — **de** (*before an infinitive*), have just (*with a past participle*)

le **vent,** wind

la **venue,** coming, arrival

le **verger,** orchard

la **vérité,** truth

le **verre,** glass

vers, towards

le **vers,** verse

verser, pour, shed, throw, overturn, turn

vert, –e, green

verticalement, vertically

vêtu, –e, *p.p. of* **vêtir,** clad; **—e de deuil,** clad in mourning

la **victoire,** victory

vide, empty; **le —,** empty space; **à —,** empty

la **vie,** life; **avoir la — dure,** be tenacious of life, die hard; **de ma —,** as long as I live

la **vierge,** maid; **la — d'Or-**

léans, the Maid of Orleans (*Joan of Arc*)

vie-ux, **–il,** **–ille,** old; **mon —,** old man

vi-f, **–ve,** alive, living, lively, quick

le **vignoble,** vineyard

vigoureusement, vigorously

vigoureu-x, **–se,** vigorous, stout, hardy

le **village,** village

la **ville,** town, city

la **villégiature,** stay (*at somebody's house or in the country*), vacation

vingt, twenty

la **vingtaine,** about twenty, score

virer, turn, tack; **— de bord,** tack, change direction

viser, aim (at)

la **vision,** vision, sight

visiter, visit

vite, quick, quickly

la **vitesse,** speed; **en —,** quickly, at full speed

le **vitrier,** glazier, *also a nickname for the French light-infantry soldier*

vivant, **–e,** living, alive

vive ! vivent ! long live!

vivement, quickly

vivre, live

les **vivres,** provisions, food, victuals

le **vœu,** vow, wish; **au comble de ses —x,** at the summit of one's happiness

voici, here is, here are, behold

la **voie,** way; **être en bonne —,** be in a fair way, be well on the way. *See* **guérison**

voilà, there is, there are, there, behold; **— que,** now, then

voiler, veil, cover, hide

voir, see

le **voisin,** neighbor

la **voiture,** carriage, wagon, truck, vehicle; **en —!** take your seats!

la **voix,** voice

le **vol,** flight

le **volant,** steering wheel, flywheel; **au —,** at the wheel

voler, fly, steal; **ne l'avoir pas volé,** richly deserve, be served right

volontaire, voluntary; **le —,** volunteer

la **volonté,** will. *See* **feu**

volontiers, willingly, with great interest, gladly

votre, your; **vôtre,** yours truly (*at the end of a letter*)

vouloir, wish, want, expect, be willing; **— du mal à quelqu'un,** wish harm to somebody; **en — à,** have a grudge against

vous, you; **bien à —,** yours truly (*at the end of a letter*)

voyager, travel

vrai, –e, true, real

vraiment, truly

vraisemblable, likely

la **vrille,** screw; **descendre en —,** make the spiral descent, perform the spinning dive (*aviation*)

la **vue,** view, sight

W

le **wagon,** railway coach *or* car

la **Westphalie,** Westphalia (*western German province*)

le **Winchester,** Winchester (*automatic rifle*)

Y

y, there, therein, thereat, to, at, of, in, *or* for it; **il — a,** there is, there are; **il — a bien,** there is, it is true

les **yeux,** *pl. of* **oeil**

Date Due

March			
DEC 20			